KB174825

의학논문
어떻게
쓸 것인가?

Edited by George M. Hall

이태영 옮김

군자출판사

의학논문 어떻게 쓸 것인가?

첫째판 1쇄 인쇄 2016년 4월 15일
첫째판 1쇄 발행 2016년 4월 25일

지 은 이 조지 M. 홀
옮 긴 이 이태영
발 행 인 장주연
출 판 기 획 조은희
내 지 디 자 인 김영선
표 지 디 자 인 군자출판사
발 행 처 군자출판사
　　　　　 등록 제4-139호(1991.6.24)
　　　　　 본사 (10881) **파주출판단지** 경기도 파주시 서패동 474-1(회동길 338)
　　　　　 Tel. (031) 943-1888　　Fax. (031) 955-9545
　　　　　 홈페이지 | www.koonja.co.kr

ⓒ 2016년, 의학논문 어떻게 쓸 것인가? / 군자출판사
본서는 저자와의 계약에 의해 군자출판사에서 발행합니다.
본서의 내용 일부 혹은 전부를 무단으로 복제하는 것은 법으로 금지되어 있습니다.

All Rights Reserved. Autorised translation from the English language edition published by John Wiley & Sons Limited.
Responsibility for the accuracy of the translation rests solely with Koonja Publishing Inc. and is not the responsibility of John
Wiley & Sons Limited. No part of this book may be reproduced in any form without the written permission of the original
copyright holder, John Wiley & Sons Limited.

· 파본은 교환하여 드립니다.
· 검인은 저자와 합의 하에 생략합니다.

ISBN 978-89-6278-993-5
정가 20,000원

저자 소개

Robert N. Allan
Editor, *Clinical Medicine*
Royal College of Physicians
London, UK
Formerly: Consultant Physician and
Gastroenterologist
University Hospital Birmingham
NHS Foundation Trust
Birmingham, UK

Mark W. Davies
Senior Staff Specialist in Neonatalogy
Associate Professor of Neonatalogy
Royal Brisbane & Women's Hospital
Queensland, Australia

Michael Doherty
Professor of Rheumatology
University of Nottingham
Nottingham, UK
Formerly: Editor, *Annals of the
Rheumatic Diseases*

Gordon B. Drummond
Honorary Clinical Senior Lecturer
University Department of Anesthesia
and Pain Medicine
University of Edinburgh
Edinburgh, UK
Formerly: Editor, *British Journal of
Anaesthesia*

Kevin W. Eva
Senior Scientist, Centre for Health
Education Scholarship
Associate Professor, Director of
Education Research & Scholarship
Department of Medicine
University of British Columbia
Vancouver, Canada
Editor-in-Chief, *Medical Education*

Paul Glasziou
Director of Center for Research in
Evidence-Based Practice (CREBP)
Bond University
Queensland, Australia
Formerly: Editor, *Evidence-Based
Medicine*

Chris Graf
Editorial Director of
Health Sciences
Wiley
Richmond, Australia

George M. Hall
Professor of Anaesthesia
Department of Anesthesia &
Intensive Care Medicine
St. George's University of London
London, UK
Formerly: Chairman, *British Journal
of Anaesthesia*

Charles W. Hogue
Professor of Anesthesiology &
Critical Care Medicine
The Johns Hopkins University
School of Medicine
Baltimore, USA
Associate Editor, *Anesthesia &
Analgesia*

Richard Horton
Editor-in-Chief / Publisher,
The Lancet
London, UK

Simon Howell
Senior Lecturer in Anaesthesia
University of Leeds
Leeds, UK
Editor, *British Journal of Anesthesia*

Jennifer M. Hunter
Emeritus Professor of Anesthesia/
Honorary Clinical Fellow
University of Liverpool
Liverpool, UK
Formerly: Editor-in-Chief, *British
Journal of Anesthesia*

Luke A. Jardine
Senior Staff Specialist in
Neonatalogy
Associate Professor of Neonatalogy
Royal Brisbane &
Women's Hospital
Queensland, Australia

Sharon Leng
Technical Editor, BJU *International*
Wiley
Oxford, UK

Domhnall MacAuley
Editor, *Primary Care*
BMJ
London, UK

Liz Neilly
Medical Librarian
University of Leeds
Leeds UK

Martin Neil Rossor
Professor of Clinical Neurology
Editor, *Journal of Neurology,*
Neurosurgery and Psychiatry
Dementia Research Centre
Institute of Neurology, University
College London
The National Hospital for Neurology
and Neurosurgery
London, UK

Gavin Sharrock
Publisher
Health Sciences Journals Editorial
Wiley
Oxford, UK

Richard Smith CBE
Director
Ovations, UnitedHealth Group
London, UK
Formerly: Editor, *BMJ*

Mark Ware
Vice President & Lead Analyst
Outshell (UK) Ltd
London, UK

Elizabeth Whelan
Associate Editorial Director
Health Sciences Journals Editorial
Wiley
Oxford, UK

Michael Willis
Editorial Services Manager
Wiley
Oxford, UK

Elissa Wilson
Associate Journal Publishing
Manager
Life Sciences
Wiley
Richmond, Australia

제5판의 머리말

이번 다섯번째 개정판의 발간을 위하여 새롭게 참여한 마크 W. 데이비스, 케빈 W. 에바, 크리스 그라프, 찰스 W. 호그, 루크 A. 자딘, 샤론 렝, 가빈 샤록, 엘리자베스 웨렌 그리고 마이클 윌리스에게 감사를 드립니다. 이번에는 '서평 어떻게 쓸 것인가' 챕터가 새롭게 추가되었습니다.

그리고 이 책의 첫 발간부터 지금까지 계속 함께 해주신 로버트 N. 앨런, 마이클 도허티, 고든 B. 드러몬드 그리고 리차드 스미스에게 특별한 감사를 다시금 전하고 싶습니다.

조지 M. 홀

제4판의 머리말

이번 네번째 개정판에 새롭게 참가한 폴 그래스주, 제니퍼 M. 헌터, 리즈 넬리, 마틴 로저 그리고 마크 웨어에게 감사를 드립니다. 이번 네번째 판에는 새롭게 '오픈 액세스' 챕터가 추가되었습니다.

그리고 이 책의 초판부터 지금까지 큰 기여를 해주고 있는 로버트 N. 앨런, 마이클 도허티, 고든 B. 드러몬드, 리차드 스미스 그리고 알렉스 윌리암슨에게 깊은 감사를 드리고 싶습니다.

조지 M. 홀

추천사

의학 공부를 시작한 이래로 개인적으로 가장 흥미가 있고 관심이 갔던 분야는 인간의 마음과 행동을 다루는 정신의학이었다. 전공의 시절에만 해도 정신역동이나 분석심리학 등이 정신과학의 중요한 패러다임을 구성하고 있는 때라 나 역시 거기에 푹 빠졌고 인간의 무의식과 원형을 탐구해나가는 과정이 즐거웠다. 하지만 마음 한 구석에는 그러한 인간의 마음과 행동에 대한 가설이 실제 뇌에서 어떻게 구현되는지 눈으로 확인하고 싶다는 생각이 들었다. 운 좋게 나는 1996년 하버드 의대 정신과에 연수 갈 기회가 생겼다. 그곳에서 정신생리와 수면의학의 석학인 Bob McCarley 교수와 뇌영상술의 프론티어인 Martha Shenton 교수를 만나 연구를 수행하는 것과 논문을 쓴다는 것에 대해 많은 것을 생각하게 되었다. 주어진 프로젝트를 완수하기 위하여 매일 같이 밤을 지새우며 힘든 순간도 많았지만 이론으로만 배웠던 뇌의 작동과정을 직접 탐구해나간다는 것은 무척이나 달콤하고도 짜릿한 경험이었다. 개인적 호기심에서 비롯된 연구 아이디어를 여러 동료와의 토론과 문헌고찰을 통하여 발전시키고, 그렇게 만든 가설을 연구를 통해 입증해나가는 과정 까지의 어려움이야 예상은 했지만, 이 결과를 뇌파나 뇌영상학을 잘 모르는 이들도 쉽게 이해할 수 있도록 한 편의 논문으로 써내려가는 과정은 연구 과정만큼이나 골치가 썩는 일이었다. 이 모든 과정들이 예술가들이 자신의 작품을 구상하고 마무리하는 과정과 흡사하다는 생각이 들었다.

처음 논문을 어떻게 써야 하는지에 대해서 제대로 배웠던 건 대학원생 시절이었다. 당시만 해도 지금처럼 컴퓨터나 워드프로세서가 흔치 않은 시절이어서 원고지에 글자를 한자 한자 써야만 했다. 어쩌다가 오자나 잘못된 문장이라도 생기면 그 페이지를 꼬박 다시 써야 했고 그렇게 어렵게 써서 제출한 논문에서 어설픈 오류라도 발견되면 원고를 돌려받지 못한 채 자책하며 처음부터 그 기다란 원고를 다시 써내려가야 하는 길고 지루한 과정을 반복이었다. 당시만 해도 정말 많은 교수님이 논문의 내용 이전에 그 형식이 중요하다는 것이라고 강조하곤 했었다. 기초공사가 부실한 건축물이 온전히 바로 설 수 없듯이 논문의 형식과 뼈대를 만들어나가는 것은 그 무엇보다 중요하게 여겨졌다. 물론 나도 그 과정이 그 무엇보다 중요하다고 생각을 한다. 내가 좋아하는 비유인데 '완두콩이 자랄 때면 완두콩의 겉껍질이 먼저 생겨나고, 그리고 나서야 그 안에서 콩이 자라난다'라는 평범한 사실이 정말 진리라 생각하고 그 생각을 나는 지금도 신봉한다. 형식이 없는 내용은 생명력을 지닐 수 없고 오래 갈수 없다. 물론 알맹이가 없는 내용에 화려한 겉옷을 입히는 것은 더욱 경계해야 하겠지만.

오랜 기간 학교에서 학생을 가르치다 보니 정말로 머리 좋고 재기 넘치는 학생들을 많이 보게 된다. 하지만 그 와중에 어떤 학생은 차근차근 본인의 아이디어를 구체화하여 연구를 진행하고 결과를 도출해내고 그렇게 한 편의 논문을 써내지만, 또 어떤 친구들은 자꾸 쳇바퀴 돌 듯 시행착오를 반복하며 오랫동안 시간을 끌다가 겨우 중간결과를 어렵사리 발표하지만 이런저런 논리적 오류나 결함이 뒤늦게 보이기도 한다. 훗날 긴 시간을 두고 학생들의 성장 과정을 보면 결국은 기초가 튼튼한 학생이 멀리까지 나아가는 걸 보게 된다. 그리고 그 기초라는 것이 결국은 한 편의 논문 속에 고스란히 드러나고 만다. 왜 이 연구를 해야 하고 그것을 위해 어떻게 연구를 수행하였고 그래서 그 결과를 통하여 무엇을 이야기할지는 치밀한 논리적 흐름 속에서 빛을 발하기 마련이다. 하지만 처음부터 자기 생각을 글로 잘 옮기는 사람은 흔치 않다. 물론 타고난 재능으로 몇 달에 한두 편씩 재미난 아이디어로 계속 새로운 연구를 해나가는 사람도 있지만, 대부분의 사람들은 다 비슷한 정도의 재능과 열정을 가지고 있다. 그러므로 중요한 것은 어떻게 연구를 하고 어떻게 논문을 써야 하는지를 체계적으로 잘 배우는 것이다. 많은 것들이 잘 배움으로서 상당부분 커버되고 또 처음에는 쉽지 않았던 것도 이내 극복할 수 있게 되기 때문이다.

사실 이미 시중에는 여러 권의 논문작성법과 관련한 책들이 출판되어 있다. 그런데도 이 책이 빛을 발하는 건 이 책의 저자가 단순히 연구를 수행하여 논문을 제출하는 사람의 입장에서 쓰인 것이 아니라, 오랜 기간 학술지의 편집자 생활을 했던 이들에 의해서 쓰였기 때문이다. 대표 저자의 인사말에서도 드러나지만, 이 책은 논문 작성의 구성과 방법에 그치지 않고 에디터의 시각에서, 리뷰어의 시각에서, 출판사의 시각에서 한 편의 논문이 어떻게 받아들여지고 어떻게 읽히고 그래서 출판에 이르게 되는지를 흥미 있게 소개하고 있다. 또한, 이런 류의 책이 흔히 그렇듯이 뻔한 교과서 같은 이야기만 늘어놓는 것이 아니라 누구나 한 번쯤 생각해보았을 요행이나 꼼수 그리고 교활한 행위까지 논문작성과 관련하여 고려해보았을 다양한 내용을 다루고 있는 큰 도움이 되는 매우 실전적인 참고서적이다.

마지막으로 번역자인 이태영선생의 특이한 경력을 소개하고자 한다. 이태영 선생은 의대시절 독립영화 작업을 하기도 하고 사진의 세계에 깊이 몰두하기도 하다가 정신과 의사가 되어서는 정신분석 공부를 해왔다. 그러다 어느 날, 연구의 길에 뛰어들어 어떻게 논문을 써야할 것인지 고민하며 여러 편의 논문을 써나가기 시작했다. 이태영 선생은 재기 발랄한 아이디어와 뇌영상술의 모든 과정을 직접 분석하고 알고리듬을 짜고 처리하면서 뒤늦게 연구의 재미에 푹 빠져 지내는 조금은 엉뚱한(?) 경력의 소유자이다. 그런 이태영 선생이 관심을 기울인 이 책이 분명 좋은 길잡이 역할을 했으리라 짐작해 본다.

부디 이 책이 이제 막 연구의 세계로 들어서 많은 시행착오를 반복하는 젊은 연구자들에게 큰 도움이 되기를 희망하는 바이다.

권 준 수
서울대학교 의과대학 정신과학교실 주임교수
서울대학교 의학연구원 인간행동의학연구소장
서울대학교 자연과학대학교 뇌인지학과 교수

역자의 머리말

Conducting Clinical Research의 저자 Judy Stone은 '왜 연구를 하는가'라는 다소 도 발적인 제목 아래 그 이유를 몇 가지로 분류하고 있다. 첫째로, 연구업적을 쌓고 교수가 되어 더 큰 명예를 얻고 편하게 편안히 살 수 있어서. 둘째로, 내가 멋져 보이는 연구자들의 이너써클에 들어갈 수 있다는 점. 셋째로, 자아의 실현으로 무언가를 계속 증명하고 성취하는 일종의 알레고리. 마지막으로 환자를 돕는 또 다른 형태의 이타적 방법으로 과학, 의학 발전에 공헌하는 것.

사실 이 책을 읽는 대부분의 사람은 대학원 또는 전공의 수련과정 중에 졸업요건을 갖추기 위하여 논문이라는 것을 처음 써보거나 경력의 초창기에 이제 막 연구를 시작하며 여러 참고문헌을 찾아보는 부류일 것이다. 그런 사람들에게는 앞서 저자가 소개한 왜 연구를 하는가? 라는 질문은 다소간에 사치스럽게 느껴질지도 모르겠다. 이걸 해야 졸업이 된다는데 그것보다 더 강력하고 직접적인 동기가 어디 있겠는가? 그러나 이제 막 진지하게 연구를 해보려는 이들은 한 번쯤 그러한 질문을 스스로 던져보는 것이 좋을 것이다. 하지만 나 역시 그랬고, 사람의 마음이라는 것이 시시각각 변하는 법이고 또 그 사람을 둘러싼 환경이라는 것도 자신의 마음과 상관없이 계속 흘러가는 것이니 그 이유 또한 시간에 따라 계속 달라질 것이다.

처음 연구라는 것을 해보고 논문이라는 것을 썼던 것은 다른 이들처럼 나 또한 전공의 수련 기간 중이었다. 당시 어떤 사고를 경험한 외상 후 스트레스 장애 환자들이 동시다발적으로 병원을 방문하였고 이들을 상대로 신경 인지기능 검사를 하는 것이 연구의 첫 출발이었다. 물론 이 분야에서 이런 주제의 연구는 이미 흔한 것이었지만 연구에 참여한 대상집단이 동일한 사건에 노출된 동일한 성별에 동일한 나이라는 점이 차별점이었다. 전공의 시절 처음 국제학술지에 논문을 냈던 것도 기억에 생생하다. 만성 조현병(정신분열병) 환자들이 복용하는 항정신병약물이 체내의 프로락틴 수치를 높이게 되는데 이것이 골대사에 영향을 미쳐서 골다공증을 유발한다는 보고들이 많이 있었다. 그런데 조현병 환자들은 특유의 음성 증상으로 인하여 움직임이 적고 햇빛에 노출이 잘되지 않아서 골다공증이 많다는 보고도 있었다. 그래서 이러한 요인들에 대해서 영상학적 그리고 생화학적 표지자를 동시에 평가하여 연구하는 것이었는데 처음 호기롭게 제출했던 학술지에서 여지없이 개재 거절을 당하는 등 여러 우여곡절을 겪었던 연구였다. 지금은 이래저래 시간이 흘러 그간 여러 연구를 해보고 또 논문을 썼는데, 지금 와서 그때의 논문들을 다시 보면 어떻게 이런 걸 논문이라고 썼는가 싶어서 얼굴이 화끈거리기만 한다.

Multivariable Analysis라는 통계분야 세계적 베스트셀러의 저자인 Mitchell H. Katz는 그의 저서 Study Design and Statistical Analysis에서 '좋은 연구는 좋은 연구 디자인에서 나온다'라고 직접적으로 이야기하고 있다. 하지만 많은 초보연구자는 "어떤 데이터가 있는데 아직 논문화가 안되었으니 이런저런 주제로 한번 논문을 써보라"는 이야기를 들으며 처음 연구를 시작하는 경우가 많다. 잠시 연구실에 왔다가 떠나는 전공의나 학생 입장에서 본인이 직접 본인의 아이디어로 연구비를 따내고 자신이 설계한 연구를 할 수는 없는 일이니 당연한 일일지도 모르겠다. 하지만 어떤 주제에 대해서 깊이 공부하고 잘 알면 알수록 무엇을 이야기하기 위하여 연구를 디자인했는가에 따라서 대략 어느 정도 가치의 논문이고 어떤 결과가 나오면 대략 어느 정도 수준의 학술지에 개재할 수 있을지가 이미 결정된다는 것을 알 수 있다. 즉, 데이터를 이리저리 분석해보고 그에 따라 이야기를 이리저리 써본다고 해서 좋은 논문이 되는 것이 아니라 그보다 더 큰 시각에서 이미 어떤 맥락에서 만들어진 데이터냐에 따라서 그 연구의 향방이 결정되어있는 셈이다. 그런 점에서 '좋은 가설이 좋은 연구를 만든다'라는 평범한 문장이 정말 절대적으로 옳은 말이구나 하는 것을 느끼게 된다. 가끔 열심히 연구를 수행하고 분석결과를 만들어놓고서도 어떻게 서론을 적어야 할지 또 고찰을 적어야 할지 헤매는 학생들을 보곤 한다. 이런 경우 제아무리 문헌고찰을 열심히 하고 논문을 적더라도, 그러한 가설을 수행하기 위해 고안된 연구가 아니라 그러한 결과를 뒷받침하기 위하여 후향적으로 (하지만 서술하기에는 마치 처음부터 그것이 기획되었던 것처럼) 적은 논문은, 결국 그 분야의 대가들인 리뷰어가 보기에는 이런저런 약점이 보이게 마련이다. 아마 내가 처음 썼던 논문들을 다시 보며 느꼈던 미흡함도 다 그런 이유일 것이다.

요즈음에서야 느끼는거지만 논문을 쓰는 것도 결국은 하나의 글을 쓰는 것이기 때문에 한편의 시나 수필을 쓰는 것과 별반 다르지 않다는 생각이 든다. 결국은 내가 하고 싶은 말을 하는 것이고 그 주장의 근거가 나의 경험이냐 직관이냐 또는 수집한 자료를 통해 도출한 것이냐의 차이가 있을 뿐이란 생각이다. 그러니 결국은 남들에게 하고 싶은 이야기가 많은 이들이 논문을 쓰는 것에도 좀 더 편하고 친숙할 것 같다.

　이 책은 개인적으로 구해본 수많은 관련 도서 중에서 가장 핵심적이면서도 간결하게 어떻게 논문을 써야 할 지에 대해 잘 정리하고 있다. 그리고 각 분야의 전문가들이자 학술지의 에디터로서 쓴 책이라서 단순한 저자 입장뿐 아니라 리뷰어나 에디터의 입장에서 본인의 연구를 들여다볼 수 있도록 입체적인 시각을 제시하고 있다. 매우 얇은 두께임에도 불구하고 이 분야에서 그 어떤 책 보다도 추천할만한 좋은 책이라고 생각이 된다.　부디 이 책이 이제 막 연구를 새롭게 시작하면서 어떻게 하면 효과적으로 논문을 잘 쓸 수 있을까? 고민하는 수많은 연구자에게 도움이 되길 바란다. 마지막으로 이 책이 나오기까지 많은 도움을 준 서울대학교병원 정신건강의학과의 권준수 교수님과 윤제연, 전명욱, 김민아, 임경옥 임상강사 선생님들 그리고 군자출판사의 변연주 씨에게도 다시 한번 감사를 드리고 싶다.

2016년 4월
역자 이태영
서울대학교병원 의생명연구원 연구부교수

Contents

제1장 과학 논문의 구조

조지 M. 홀

영국 런던 세인트조지대학 중환자의학과

일반적으로 많은 저자들은 본인이 수행한 연구가 중요하고 가치 있다고 여기며 가능한 많은 독자들이 본인의 논문을 읽어주길 바랄 것이다. 연구에 대한 비판은 치명적이어서 때로는 그의 가족이나 운전 실력에 대한 비난보다도 더 안좋은 결과를 초래하기도 한다. 어쩌면 동료의 연구에 대해 비판하는 것보다 그의 배우자나 가족, 또는 운전 실력에 대한 모욕을 하는 것이 더 안전할지도 모른다. 다행히도 최근에는 제법 많은 의학학술지들이 있기 때문에 원고를 보낼 저널이 없어서 자신의 논문을 출판하지 못할 가능성은 적은 편이다. 그럼에도 불구하고 논문은 엄격하게 정해진 양식을 지켜야 하며 가능한 가장 높은 기준에 부합해야 한다. 에디터와 리뷰어들은 논문의 내용이 아무리 좋더라도 형식에 맞지 않게 쓰인 논문을 좋아하지 않는다. 하지만 *Nature*와 같은 학술지를 제외하고는 대다수의 논문들이 서로 비슷한 논문 형식을 가지고 있기 때문에 연구경력의 초창기에는 예외적인 논문 형식 문제로 인해 곤란을 겪을 일은 없을 것이다.

과학 논문을 출판하는 목적은 충분한 정보가 담긴 문헌을 제공하여 독자들로 하여금 아래와 같은 사항들을 확인할 수 있도록 하는 것이다.

- 해당 논문에서 수행한 관찰 방식을 평가하고
- 독자들이 원할 경우 논문의 실험을 재현하고
- 논문의 결론이 데이터로부터 정당하게 도출되었는가를 판단한다.

논문의 기본 구조는 다음의 것들을 상징하는 IMRAD라는 약자로 요약할 수 있다.

서론 (**I**ntroduction)	어떤 질문을 던지고 있는가?
방법 (**M**ethods)	어떻게 연구를 수행했는가?
결과 (**R**esults)	무엇을 발견했는가?
그리고 (**A**nd)	
고찰 (**D**iscussion)	발견이 의미하는 바는 무엇인가?

이 책의 다음 4개의 장에서는 논문의 각 부분들을 자세히 살펴볼 것이므로 이번 1장에서는 이를 개략적으로 다룰 것이다.

서론

서론은 저자가 연구를 통해 답하려고 하는 문제를 간결하고 명확하게 서술해야 한다. 독자들의 이해를 돕기 위해서 해당 연구의 주제와 관련된 선행연구들에 대해 간략히 고찰하는 것이 필요하다.

많은 초보 연구자들이 논문 작성시 서론을 쓰는 것을 어려워 한다. 가장 흔한 문제는 연구를 통해 답하려는 질문이 무엇인지 명료하게 기술하지 못하는 것이다. 연구가 처음부터 제대로 계획되었다면 이러한 문제가 생길 수 없다. 논문을 작성하려는 시점이 되어서 뒤늦게 기본적인 실수들을 바로잡으려 할 때는 이미 너무 늦다. 어떤 연구들은 진행 과정 중에 엉뚱한 방향으로 흘러 기존의 연구목표를 쉽게 잊어버리곤 한다. 본 저자는 이따금씩 우리가 연구 중에 답하려고 했던 문제가 무엇인지 공동연구자들에게 물어보는 게 도움이 되었다. 만약 공동연구자가 짧고 명확한 답변을 건네오지 못한다면, 연구에 심각한 문제가 있는 것일 수도 있다.

일반적으로 서론에서는 광범위한 문헌고찰을 하지 않는다. 본인이 제시한 연구를 뒷받침하는데 필수적인 문헌들만을 인용해야 한다. 어떤 사실이 '잘 알려졌다'거나 '인정받았다'라는 점을 리뷰어들에게 납득시키기 위해서 각기 다른 그룹에서 발표된 논문을 3개 정도 인용하는 것이 좋으며 서로 다른 나라에서 발표된 것이면 더욱 좋다. 많은 연구자들은 연구를 수행하기 전에 논문의 서론을 미리 작성하는데 이러한 경우 연구 수행 중에 발표되는 새로운 관련 논문들을 항상 주시해야 한다.

서론은 다음과 같이 쓸 수 있다.

> "조깅을 즐겨 하는 중년 남성들에서 미만성 뇌손상이 있는 경우가 흔하다는 것은 잘 알려진 사실이지만[1-3], 미만성 뇌손상이 조깅을 시작하기 이전에 존재했는지 혹은 운동을 하면서 반복된 충격으로 인하여 발생한 것인지는 아직 확실치 않다. 이 연구에서 우리는 업무중 앉아서 일을 하는 중년 남성들에게 6개월 간의 운동 프로그램을 처방하고 전후의 뇌기능을 조사해 보았다. 뇌기능의 평가는…"

방법

사실 논문게제가 거절되는 가장 흔한 이유는 바로 논문의 '방법' 부분 때문인데, 그럼에도 최근 이 부분이 간과되는 경향이 점차 증가하고 있다. 만일 어떠한 가설에 답을 하기 위해 사용된 연구 방법이 그 가설을 입증하기에 부적절하거나 결함이 있다면 그 연구는 되돌릴 방법이 없다. 본 책의 3장은 연구계획에 대한 유용한 조언들과 연구 계획 중에 고려되어야 할 평가의 정확성에 대해 논하고 있다.

'방법'의 주요 목적은 연구의 설계 방법을 기술하고, 때로는 방어하는데 있으며, 다른 유능한 연구자들이 그 연구를 재현할 수 있도록 충분한 내용을 제공하는데 있다. 특히 후자는 본문에 어느 정도의 정보를 포함할지 결정할 때 중요하다. 만일 일반적으로 널리 쓰이는 표준 측정 방법을 사용한다면 이에 대한 적절한 참고문헌을 인용하면 된다. 이미 알려진 방법을 '변형'하는 사례도 많은데, 이런 경우 다른 연구자들이 어려움을 겪게 된다. 연구의 재현을 돕기 위해서 저자는 다음과 같은 점을 유념해야 한다.

- 새로운 방법을 사용한 경우 세부사항을 완전히 기재한다.
- 수행한 측정법을 정확하게 서술한다.
- 통계 분석을 현명하게 사용한다.

통계에 대해서는 이 책에서 다루지 않았다. 사실 연구 설계 단계부터 통계전문가들의 도움을 구해야 한다. 통계 전문가들은 임상연구를 설계하고 분석하는데 큰 도움이 되며 상당한 기여를 할 것이다. 그러나 애초에 잘못 설계된 연구를 되살리는 일은 불가능하다.

결과

논문의 결과 부분에서는 연구를 통해 밝힌 주요 발견들을 종합적으로 서술하는 것과 모든 데이터를 분명하고 정확하게 제시하는 것이 매우 중요하다.

물론, 본인이 수집한 모든 데이터들을 일일이 다 기술할 필요는 없다. 어렵게 수행해서 얻은 결과일수록 그 결과를 모두 내보이고 싶겠지만 이 부분에서는 관련성이 있는 대표적 결과만 포함시켜야 한다. 또한 결과에 대한 통계 분석은 적합해야 한다. 손쉽게 구할 수 있는 통계 소프트웨어 패키지는 이와 관련된 근본원리를 아는데는 도움이 되지 않는다. 리뷰어는 연구에서 사용된 통계적 기법의 타당성만을 평가할 수 있으므로 당신의 분석이 복잡하거나 특이하다면 별도의 통계학자들이 논문을 리뷰하게 될 것이다.

연구결과를 명료하게 제시하기 위하여 본문, 그림 그리고 도표 내의 데이터를 불필요하게 반복하지 말아야 한다. 또한 연구를 통해 밝히지 못한 점에 대해서 간단히 언급하는 것도 가치 있는 일이다. 이를 통하여 다른 연구자들이 불필요한 연구를 수행하는 것을 방지할 수 있기 때문이다.

고찰

논문 초고의 고찰 부분은 언제나 너무 길기 십상이다. 누구나 본인이 잘 알고 있는 부분에 대해서는 길고 자세하게 적고 싶은 유혹에 빠지기 쉽기 때문이다. 이 부분에 대한 간략한 지침을 주자면 서론, 방법, 결과, 고찰을 포함한 전체 논문 분량에서 고찰 부분이 3분의 1 이상을 넘지 않는 것이 좋다. 하지만 이러한 논문작성과 검토에도 없어도 될 불필요한 부분들이 여전히 고찰에 남아있는 경우가 흔하다.

많은 초보 연구자들이 고찰 부분을 적는 것을 어려워한다. 아래 **표 1.1**을 참고하면 고찰을 작성하는 데 도움이 될 것이다.

표 1.1   고찰 부분 작성하기

- 주요 발견점을 요약한다.
- 연구에 사용한 방법에 문제점이 있는지 고찰한다.
- 연구의 결과를 선행연구의 결과들과 비교한다.
- 주요 발견점들에 대한 임상적, 과학적 함의에 대해서 고찰한다.
- 추가 연구를 제안한다.
- 간결하게 결론짓는다.

고찰 부분에서 흔히 저지르는 실수는 결과 부분에서 이미 제시했던 데이터를 반복해서 제시하는 것과 결론에 끼워 맞추기 위해 선행 연구들을 선별적으로 인용하는 것이다. 냉철한 리뷰어들은 이러한 실수를 금세 알아챌 것이므로 그냥 넘어갈 생각은 애초에 하지 않는 것이 좋다.

'IMRAD'에서 논문의 기본 구조를 제시하긴 했지만 논문의 나머지 부분 또한 중요하다. 제목, 초록 그리고 주요 저자 목록은 6장에 기술되어 있다. 논문의 제목과 초록은 읽어 보더라도, 흥미없는 논문을 처음부터 끝까지 꼼꼼하게 읽는 독자는 거의 없을 것이다. 따라서 제목과 개요는 논문의 목적을 드러내고 이를 도출하는데 상당히 중요하며 독자로 하여금 논문을 정독하도록 흥미를 끄는 역할을 한다는 점에서 특히 중요하다. 논문에 알맞은 참고문헌을 제시하는 방법은 8장에서 다루었다. 이 부분은 가장 많은 오류가 발생하는 부분이기도 하다. 참고문헌 작성시 가장 중요한 원칙은 본 연구와 밀접한 연관성이 있는 것만을 인용하고 논문을 발표할 학술지에 적합한 방식으로 제시하는 것이다. 과도한 수의 참고문헌을 늘어놓는 것은 학식의 자랑이 아니라 도리어 불안감을 보이는 것일 수도 있다. 권위 있는 저자라면 본인의 논문에 인용되기에 적합한 중요 연구들이 무엇인지를 알 것이다.

논문 초고를 작성하기 전에 학술지마다 소개하고 있는 '저자를 위한 안내사항'을 주의 깊게 읽어본 후 이에 맞추어 논문을 준비해야 한다. 일부 학술지들은 대개 매년 상세한 안내 글을 지면에 싣는데 이는 기본적인 규칙을 배울 수 있는 유용한 방법이다. 치명적인 실수는 다른 학술지에서 사용하는 양식의 논문을 본인이 투고하고자 하는 학술지에 제출하는 것이다. 이는 최근에 다른 곳에서 논문이 거절되었음을 암시하는 것이 된다. 논문을 준비하는 모든 과정에서 자신의 논문이 학술지에서 요구하는 형식에 부합하는지 지속적으로 검토해야 한다. *European Annals of Andrology*에 투고하길 희망하면서 *Swedish Journal of Androgen Research*의 형식으로 논문을 써서는 안 되는 것이 당연하다. 그러니 저자를 위한 안내사항을 거듭해서 읽도록 한다.

IMRAD 체계의 변형은 특수한 상황에서 필요하기도 하다. 예를 들어 에디터에게 보내는 서문(11장), 학술회의에서 발표할 논문 초록(12장) 또는 사례 보고(13장) 등의 경우다. 그렇지만 모든 과학 논문의 근본적인 구조는 기본적으로 동일하다.

제2장 서론

리차드 스미스

영국 런던 유나이티드헬스 그룹, 오베이션

서론은 간결하고 독자의 시선을 사로잡아야 하며 저자가 왜 이 연구를 수행하게 되었는지 알릴 수 있어야 한다. 바로 이 첫 문장이 내가 여러분들께 하고 싶은 가장 중요한 말이고, 이것만 이해한다면 이 장을 더 이상 읽지 않아도 된다. 만약 신문이었다면 당신은 더 이상 이 글을 읽어 내려가지 않았을 것이다. 이것은 기자들이 기사의 핵심을 첫 문장에 담으려고 하는 이유이기도 하다. 호기심을 자아내는 첫 문장을 통하여 독자가 글 전체를 정독하게 만드는 것이 기자와 작가들이 쓰는 또 다른 방법이기도 하다.

이 장의 시작부터 기사를 작성하는 법에 대해 언급해서 독자들이 오해를 할지도 모르겠지만 과학 논문 작성이 기사 작성법에서 차용해 올 수 있는 부분이 있음을 유념해야 한다. 이제 논문의 서론을 어떻게 써야할지 알아보도록 하자.

시작하기 전에 기본적인 질문에 답해보기

서론을 쓰기 전에 다음과 같은 기본적인 질문에 미리 답을 해두어야 한다.

- 무슨 말을 해야 하는가?
- 거론할 가치가 있는가?
- 그런 메세지를 전하는 데 알맞은 형식은 무엇인가?
- 지면 또는 웹상에 실으려면 무엇이 알맞은가?
- 글을 읽게 될 독자는 누구인가?
- 이러한 주제가 어울리는 학술지는 어느 것인가?

위에 제시한 질문에 명료한 대답을 하지 못한다면 당신의 글이 뉴스 기사, 시, 과학 논문, 등 어떠한 것이던간에 성공할 가능성이 희박하다. 본인은 BMJ의 에디터로써 이런 질문에 답하지 못하는 저자의 논문들을 매일 접하게 된다. 저자가 말하고자 하는 바가 명확하지 않은 논문들이 너무도 많다. 그런 논문의 저자들은 특정 주제로 논문을 시작하긴 하지만 논문에서 주장하려는 핵심이 무엇인지는 독자들이 알아서 유추하기를 바란다. 하지만 그렇게까지 수고하려는 독자는 없다. 또한 형식을 잘못 선택하는 저자들도 적지 않다. 많은 저자들이 서술형 에세이로 쓸 만한 내용을 과학 논문으로 쓰려 하거나 짧은 논문 내용을 긴 논문으로 쓴다.

요즘은 학술지와 그 밖의 간행물들을 전통적인 종이출판과 전자출판으로 구분하는 추세이므로 두 가시 형식을 함께 염두에 두어야 한다. 보통 종이출판은 전자출판보다 분량이 더 적고, 대상도 일반적인 독자들이다. 전자출판은 길이에 제한이 없기 때문에 분량을 스스로 조절하지 못하는 저자에게는 오히려 독이 될 수도 있다.

독자가 정확히 누구인가를 고려하지 않는 것이 가장 흔한 실수이며 특정 분야 전문가들이 일반 독자들은 이해하기 힘든 방식으로 글을 작성하는 경우도 흔한 실수이다.

또 하나의 기본 규칙은 논문을 싣고자 하는 학술지의 저자를 위한 안내사항(*BMJ*와 같은 학술지는 '기고가들을 위한 조언'으로 지칭)을 잘 읽는 것이다. 이를 지키는 저자들은 매우 드물다. 하지만 학술지의 단어 수 제한이 600단어인 논문에 서론만 400단어를 쓰는 것은 부질없는 일이다.

독자에게 연구를 왜 수행하게 됐는지 알리기

서론의 핵심은 왜 이 연구를 수행하게 되었는지를 독자에게 밝히는 데 있다. 정말 흥미로운 가설에 대한 해답을 찾기 위해 연구를 수행했다면 어려움이 거의 없을 것이다. 그러나 논문의 편수를 늘려서 경력을 부풀리기 위하여 연구를 시작했다면 금방 티가 날 것이다. 좋은 논문 주제들은 임상 실제에서 생겨나는 의문이며 이 같은 경우 서론은 다음과 같이 서술되어야 한다.

> 탈장수술을 받게 된 환자에게 마취를 시행하는데 환자는 일주일에 4번 정도 엑스타시(Ecstasy)를 복용한 사실이 문제가 되지 않을지 물어왔다. 우리는 이에 대해 발표된 의학보고가 없다는 것을 발견하였고 이 질문에 대한 답을 위하여 연구를 설계하였다.

또는

> 수련의의 야간업무를 줄이라는 압박이 있어 맹장염 환자가 입원한 후 다음날 아침까지 수술을 연기해도 상관 없는지에 대해 의문을 갖게 되었다.

만약 독자 또한 그러한 문제에 관심을 갖고 있다면 논문을 읽고 싶은 생각이 들 것이며 저자가 독자층을 확실히 정해놓고 적합한 학술지를 선택했다면 독자들은 흥미를 가질 것이다.

이미 발표된 과학 논문을 바탕으로 추가적인 연구를 수행하게 되는 경우도 흔히 생기는데 이 경우에는 본인의 연구가 선행연구에 어떤 도움이 되는지 명백하게 밝히는 것이 필수적이다.

당신의 연구가 어떤 도움을 주는지 명백히 밝혀라

전에도 여러 번 발표된 비슷한 연구 결과를 실어줄 에디터는 없을 것이며 이를 읽을 독자도 없을 것이다. 선행연구에서 알려진 사실과 비교하여 본인의 연구가 중요한 사실들을 더한다는 확신이 들지 않는다면 사실 그 연구를 수행할 필요도 없으며 논문을 쓸 필요도 없다. 따라서 다음과 같은 서론은 바람직하지 못하다.

> 과거 연구에 의하면 규칙적으로 엑스타시를 복용한 환자는 마취가 잘 듣지 않는다는 보고가 있으나[1-7], 또 다른 연구에서는 그렇지 않다는 보고들도 있다[8-14]. 우리는 마취의 어려움이 있거나 그렇지 않았던 두명의 환자를 추가로 보고하고자 한다. 그리고 기존의 연구 문헌을 재검토하고자 한다.

오히려 다음처럼 쓰는 것이 옳다.

> 두 건의 선행연구에서 습관적인 엑스타시 복용이 마취상태 중에 호흡 곤란을 일으킬 수 있다고 보고하였다. 그러나 이 연구들은 샘플사이즈가 작고 통제되지 않았으며, 기초적인 호흡기능만 평가하였고 예후를 조사하지 않았다. 이에 우리는 더욱 많은 환자를 대상으로 통제연구를 통하여 호흡기능을 정밀하게 평가하고 2년간의 예후를 추적한 연구를 보고하고자 한다.

본인이 수행한 연구가 선행연구보다 어떤 면에서 더 나은지를 명백하게 밝히는 일은 쉽지 않기 때문에 선행연구를 상세히 비판하고 싶은 충동을 느끼기 쉽다. 더욱이 본인의 연구를 진지하게 생각한다면 관련 문헌을 찾고 읽는 데만 많은 시간을 보냈었을 것이기 때문에 특히 더 이러한 충동에 시달리기 쉬울 것이다. 하지만 가장 좋은 서론은 모든 선행연구들을 체계적으로 고찰한 뒤 새로운 연구가 필요한 이유를 제시하는 것이다.

체계적 문헌 고찰을 지향하는 움직임은 지난 20년간의 과학과 과학논문 쓰기에서의 중요한 발전이 되었다.[1]. 문헌고찰 과정에서 저자는 상당히 편향되게 선행연구들을 선택하고 잘못된 결론을 도출하곤 한다[2]. 체계적 고찰을 할 때 저자는 명백한 질문을 던지고 관련된 모든 자료(외국어이거나 혹은 아직 출판되지 않은 것들을 포함하여)를 수집한 후 과학적으로 부실한 자료는 폐기하고 남은 정보를 종합하여 결론을 도출해야 한다.

위와 같은 방식의 고찰은 분명 상당히 고된 작업이지만 새로운 연구를 시작하기에 앞서 이러한 고찰을 하는 것이 이상적이다. 이러한 고찰 이후에도 선행연구들이 그 문제에 답하지 못하거나 본인의 연구가 그 해답을 찾아내는데 상당한 공헌을 할 것이라는 믿음이 있는 경우에 본인의 연구를 수행하는 것이 좋다. 서론에는 이러한 고찰 내용을 짤막하게 포함시키도록 한다. 그래야만 독자가 이 연구가 선행 연구와 어떠한 관련이 있고 왜 이 연구가 중요한지를 완전히 이해할 수 있다.

'2012년의 경우 이렇게 높은 기준을 만족시키는 논문은 손에 꼽을 정도로 적으니 본인의 논문이 이러한 기준에 맞지 않더라도 좌절할 필요는 없다.' 나는 1994년에 이 책의 초판에 이와 똑같은 문장을 적은 바가 있다. 또한 이렇게 덧붙였다. '하지만 기대하건데 20세기가 끝날 무렵에는 이러한 고찰을 서론에서 간략히 언급하는 것이 통상적인 일이 될 것이다.' 나는 그 당시에 과도하게 낙관적이었다. 사실 요즘에도 체계적 고찰을 통해 논문의 서론을 작성한 예를 찾는 것은 쉬운일은 아니다. 1997년 9월에 개최되었던 '제3회 상호심사저널국제학술대회'에서도 세계 유수의 5대 의학 학술지에 개제된 무작위 통제 비교임상실험들에서도 같은 주제에 대한 선행연구들이 제대로 고찰되지 않고 있다고 언급된 바 있다.

이는 저자들이 인간을 대상으로한 연구에 관한 헬싱키 선언을 빈번하게 무시하고 있음을 의미한다. 헬싱키 선언에는 인간을 대상으로 한 연구는 선행연구들에 대한 철저한 이해를 바탕으로 수행되어야 한다고 서술되어 있다[3]. 뿐만 아니라 이미 충분히 연구된 주제를 다시 반복하는 것은 의미 없는 일이다. 임상시험 보고의 모범 사례에 대한 CONSORT을 살펴보면 '일부 임상시험은 선행연구들의 체계적 문헌 고찰을 통하여 그 해답을 찾았거나 또는 그럴 가능성이 있으므로 불필요한 것으로 나타났다'라고 기술되어 있다[4, 5].

기존 연구들을 체계적으로 고찰하는 것은 2012년인 이 시점에도 옳은 것이긴 하나 따르기는 힘든 조언으로 보일 수 있다. 그러나 여전히 유효한 충고임은 틀림없다. 이를 유념하면 당신은 논문 출판을 위한 기준에 간신히 턱걸이 하는 저자가 아니라 과학 논문을 진일보시키는 저자가 될 수 있을것이다.

본 저서의 초판을 발간한 이후로 일어난 중요한 발전은 대다수의 학술지들이 웹사이트를 운영하고 있어서 종이와 웹을 모두 활용해 논문을 발표한다는 점이다[6, 7]. 이로 인해 상세한 사항과 데이터를 알고 싶은 연구자들과 단도직입적으로 논문의 메시지를 알기 원하는 임상의들을 동시에 만족시키는 일이 가능해지게 되었다. 그 예로는 *BMJ*가 2002년에 ELPS(웹 으로는 길게, 지면으로는 짧게 제공하는) 시스템을 도입한 것이 있다[8]. *BMJ*는 한 단계 더 나아가서 인쇄판 학술 지면에 발표되는 논문의 길이를 한 페이지 정도로 제한하였다. 더욱이 그 한 페이지 조차도 엄격한 형식을 가지고 있어서 더 이상 서론을 포함하지 않게 되었다. 그 대신 논문의 시작을 가설로 시작하는데 이는 다른 학술지에 발표를 할 때에도 유용한 방식이 될 수 있다. 그것은 바로 '이 연구의 주제는 무엇인가?', '요약된 답은 무엇인가?' 그리고 '이미 알려진 사실은 무엇이며 이 논문이 새로이 추가한 점은 무엇인가?'이다. 서론의 개념에서 설명하자면 종이와 웹을 통한 상호보완적인 논문 발표로 인하여 제대로 된 체계적 문헌 고찰은 웹상에 나오고 지면으로는 단순히 그 요약이 실리게 되는 것을 의미할 수도 있다. 하지만 보통 온전한 체계적 문헌 고찰은 별도의 논문에서 다루는 것이 최선의 방법이라고 하겠다.

처음 초고를 쓴 지 18년이 흐른 뒤 다시 이를 수정할 때 흥미로운 점은 그동안 과학 논문이 어떻게 변천되어 왔는지를 살펴볼 수 있다는 것이다. 과학 논문은 1990년대 초기에 인터넷이 등장하면서 모든 것이 바뀌었다고 볼 수 있다. 지면의 양은 더 이상 문제가 되지 않고 영상과 소리도 첨가할 수 있게 되었다. 하이퍼링크를 다는 일도 무척 쉬워졌다. 전체 데이터와 이를 처리할 수 있는 소프트웨어도 변화에 포함될 수 있다. 하지만 그럼에도 불구하고 본질적으로 변화에 대한 사람들의 강력한 인상은 별로 변한 점이 없다[9]. BMJ는 2004년에 영국 의사들의 50년 간의 연구결과를 발표하면서[10] 반세기 전에 나온 연구결과들과 비교할 수 있게 되었다[11]. 이 비교를 통해 얻은 결과에 대해서 본 저자는 다음과 같이 썼다. '인류가 달에 착륙했던 50년의 시간 동안 컴퓨터와 인터넷이 출현했고 텔레비전과 자동차는 변화해왔음에도 불구하고 과학 논문은 거의 변한 것이 없다. 이는 논문 형식이 너무도 튼튼하여 더 이상 변화를 기대하기 어렵기 때문일까 아니면 상상력이 부족했기 때문일까? 나는 후자라고 본다'[9].

본 저자는 결국 신기술이 출현해 극적인 변화가 올 것이라고 생각하기 때문에 만약 이 장을 한번 더 재집필할 때까지 본인이 살아 있다면 아예 새롭게 쓰게 될 것이라고 예상한다.

최고의 조언을 따라라

의학 논문 작성에 관한 중요한 발전은 특정한 종류의 연구에 대해서는 최근 몇년 간 제시된 구조를 따라 집필해야 한다는 것이다. 이러한 경향은 많은 논문들이 중요한 정보를 누락했다는 여러 근거들이 제시되면서 생겨나게 되었다. 이 지침은 무작위 통제 실험[4], 체계적 문헌 고찰[12], 경제성 평가[13], 진단 방법에 관한 연구 보고[14]와 기타의 연구들을 위한 것이다. EQUATOR 웹사이트에는 이 모든 것이 종합되어 있고 학술논문에 관한 다른 정보들도 나와 있다[15]. 더 많은 지침들이 새로 나올 것이며 BMJ를 비롯한 많은 학술지에서 논문의 저자가 이러한 기준을 준수할 것을 요구하고 있다. 수준 미달인 논문은 거절될 것이므로 논문 저자들은 이러한 기준을 숙지해야 할 필요가 있다. 이들 가이드라인은 서론의 요건을 간단명료하게 제시하며 이 장에서 소개한 조언과 크게 다르지 않다.

짧게 써라

논문을 쓸 때 모든 선행연구들을 다 요약함으로써 독자들을 감탄하게 하려는 유혹을 떨쳐버려야 한다. 독자들은 감탄하기보다는 싫증을 느끼고 그 논문을 끝까지 읽으려 하지 않을 것이다. 다음과 같은 서론은 좋지 않은 예이다.

> 고고학자들은 엑스타시의 원시적 형태의 약물이 고대 이집트에서 광범위하게 사용됐을 거라고 추정한다. 파라오에 무덤에서 발견된 통들이…사회학적 증거를 보면 엑스타시 약을 가장 흔히 복용하는 계층은 15세에서 25세 사이의 남성이며 그 장소는 비행기 격납고에서 열리는 파티로 알려졌다. 엑스타시 약과 관련하여 폐포 모세혈관 접점에서 호흡기 질환이 발생할 수 있다. 아드바크는 1926년에 이 부위에서 문제가 발생할 수 있다고 추측했는데..

뿐만아니라 이런 식으로 쓰는 것도 곤란하다.

> 많은 연구가 엑스타시와 마취의 문제를 보고했다.[1-9]

이런 식의 문장은 도움이 되지 않으며 참고문헌만으로 한 페이지를 금방 채워버릴 수 있다. 문헌조사를 방대하게 했음을 자랑하기 보다는 적절한 참고문헌을 선택할 수 있어야 한다.

저자의 연구가 기존 연구보다 어떤 점에서 우월한지에 대해 짧은 문장으로 분명하게 표현하는 것은 어려운 일이다. 하지만 에디터와 독자에게 저자의 논문이 더 낫다는 확신을 주어야 한다. 다음은 좋은 서론의 예이다.

> 마취과 의사들은 엑스타시를 습관적으로 복용하는 환자에게 중대한 합병증이 일어날 수 있는지는 확실하지 않다고 한다. 합병증에 관한 과거 여러 사례 보고가 있다.[1-4] 3건의 코호트 연구가 발표되었는데, 그 중 두 건에서 상습적인 엑스타시 복용자에서 호흡질환의 발생률이 높았다고 밝혔다. 이들 두 건 중 한 건은 통제된 연구가 아니었고[5] 다른 한 건에서는 환자들이 연령과 흡연 유무에 따라 적절하게 매칭되지 않았다.[6] 엑스타시 복용과 호흡질환 발생률 간의 관계를 찾지 못했던 나머지 한 건의 연구는 상습적인 엑스타시 복용자가 6명에 불과하였고 중대한 영향을 놓칠 가능성 (제2종 오류)이 높았다.[7]

그러므로 본 저자들은 연령과 흡연유무 그리고 알코올 섭취에 따라 매칭된 50명의 상습적인 엑스타시 복용자들을 대상으로 통제 연구를 실시하였다.

다른 연구들에 대해서도 더 상세하게 비판할 여지가 분명 있을 것이다. 그러나 기존 연구를 장황하게 설명하는 대신에 당신의 연구와 가장 근접한 최고의 연구들에 집중해야 한다. 그렇게 함으로써 당신의 연구를 타 연구와 비교했을 때 장점과 단점이 보일 것이며 서론에 배치하기에 적합하지 않은 부분들을 발견할 수 있을 것이다.

기존 연구를 충분히 숙지하라

앞에서 이미 선행연구들을 조사하는 일의 중요성에 대해 한차례 강조한 바 있다. 연구를 시작하기 전에 저자는 사서의 도움을 받아 기존 연구를 찾아 보아야 한다. 또한 이미 출판되었으나 사서가 찾지 못한 연구나 아직 출판되지 않은 연구 또는 현재 진행 중인 연구에 관해서도 해당 분야 전문가들과 직접 접촉하여 알아보아야 한다. 자신이 수행하려는 연구주제에 관한 가장 최근 리뷰 논문을 찾아보고 거기서 인용한 참고문헌들을 찾아보는 것도 좋은 방법이며 관련 주제에 대한 학회나 모임이 있다면 그곳에서 발표되는 초록에 대해서도 살펴보는 것이 좋다. 참고문헌 검색시 몇 가지 어려운 점이 있는데 부정적 결론으로 인하여 관련된 주제의 논문을 누락할 수 있고 우수한 연구가 발표되지 않는 경우도 흔하며 어떤 연구들은 수행하는 데만 수년이 소요되어 이를 논문화하는데 몇 년이 더 걸릴 수도 있기 때문이다.

점차 에디터들은 저자가 자신의 연구와 직접적으로 관련된 기존 논문들을 충분히 숙지했는지에 대한 근거를 보이길 원하고 있다. 논문에 대한 에디터의 첫 반응이 '이 연구는 분명 이미 발표한 건데...'일 경우 특히 더 중요하다. *BMJ*에서도 이러한 일을 자주 접할 수 있었으며 그렇기 때문에 에디터들은 저자들이 선행연구들을 충분히 숙지했는지를 유심히 보게 되었다.

체계적 문헌 고찰에서는 검색 전략이 연구 방법 부분에 속하지만 보통 논문에서는 다음과 같이 가능한 간결하고 짧게 서론에 기재된다.

15개의 키워드를 통한 Medline 검색, 해당 주제와 관련된 다섯 명의 전문가들과의 개인 접촉, 관련 주제에 대한 5개의 최신 컨퍼런스들에 대한 검색을 통하여 노인여성들이 날계란을 마시는 것과 관련한 선행연구가 없다는 것을 확인하였다.

독자들에게 문제의 중요성을 납득시키되 과하게 해서는 안된다

적합한 독자를 대상으로 좋은 연구를 수행했다면 당신이 답하고자 하는 문제의 중요성을 독자들에게 납득시키는 일은 어렵지 않을 것이다. 모든 교과서에 실린 소재와 독자들이 이미 알만한 정보를 재론하는 것은 흔한 실수이다. 따라서 비타민 D가 골다공증을 예방하는가에 관한 논문에서 골다공증과 비타민 D에 대해 독자들에게 설명할 필요는 없다. 하지만 골다공증 유병률 수치나 골다공증 관련 입원에 대한 데이터들 또는 사회적 비용에 대한 정보를 독자들에게 제공하는 것은 바람직하다.

독자들을 당황시키지 마라

독자들이 기존에 알법한 사실을 늘어놓아 가르치려 들거나 지루하게 만들어서도 안 되지만 전혀 생소한 소재를 아무런 설명 없이 소개함으로써 독자들을 당황하게 하는 일도 좋지 않다. 의미 없는 약어나 독자들이 알지 못할 법한 질병, 약, 보고서, 또는 장소를 언급하는 것만큼 독자들이 논문을 빨리 덮어버리게 하는 것은 없다. 이러한 점은 독자를 파악하는 일이 얼마나 중요한지 우리에게 명료하게 알려준다.

연구 설계를 보여주되 결론을 기재하지는 말아라

이것은 선택의 문제지만 본 저자는 논문을 쓰는 저자들에게 서론 끝 부분에 본인의 연구를 한 문장으로 서술해 달라고 부탁하고 싶다. 마지막 문장은 다음과 같이 쓰면 좋다.

> 따라서 우리는 비음주자가 일주일에 세 잔의 위스키를 마신다면 관상동맥질환으로 사망할 확률이 줄어드는지를 확인하기 위해 이중맹검 무작위 연구를 10년 간의 추적 조사와 함께 수행하였다.

하지만 다음 예처럼 서론에서 연구 결론을 제시하는 것은 좋지 않다고 본다.

> 일주일에 세 잔의 위스키를 마신다고 해서 비음주자가 관상동맥질환으로 사망할 확률은 줄어들지 않는다.

그러나 다른 에디터들의 생각은 다를 수 있다.

가끔은 기자들의 트릭을 사용하는 것도 고려하라

글쓰기에서 전체적인 구조를 확립하는 것은 어려운 일이다. 올바른 구조를 만드는 일은 단순히 문장을 써 내려가는 것보다 더욱 어렵다. 에디터 입장에서도 구조를 고치기보다는 문장을 수정하는 것이 훨씬 수월하다. 구조가 엉성한 글은 실패하기 십상이다. 과학적 글쓰기가 일반적인 글쓰기에 비해서 상대적으로 쉬운 이유는 전체적인 논문의 구조가 미리 확립되어 있기 때문이라고 볼 수 있다.

이 장에서 본 저자는 당신이 과학 논문을 쓰는 저자라고 간주하고 있다. 만일 다른 종류의 글을 쓰려고 한다면 서론과 전체적인 구조에 대해 더욱 고심 해야 할 것이다. 독자들을 매료시키기 위해서라면 비록 학술논문일지라도 기자들이 글쓰기 하는 방법을 활용한다면 더욱 좋을 것이다.

의학기자인 팀 알버트는 의학 기사에 관한 훌륭한 저서에서 5개의 활용 가능한 도입문장을 제시하였다[16]. 즉 독자들을 사로잡는 이야기 쓰기, 장면을 생생하게 묘사하기, 강렬한 인용문구를 사용하기, 호기심을 자아내는 사실을 제공하거나 자기 주장이 뚜렷하면서도 논란의 소지가 있는 의견을 제시하기이다. 그는 *The Independent*의 의학 코너로부터 두 개의 예를 들었는데 그 중 하나인 마이크 한스콤브의 글은 다음과 같이 시작한다.

습진에 걸리는 것보다 백혈병에 걸리는 것이 여러 면에서 훨씬 덜 불편하고 견딜만 한가?

이는 호기심이 생기는 문장이며 독자는 이 말이 정말인지 확인해 보고자 계속 읽으려 할 것이다. 제레미 로렌스가 쓴 글의 첫 문장은 이렇다.

이 이야기는 성, 공포 그리고 돈에 관한 것이다. 그것은 수치스런 문제를 치료하는 새로운 치료법에 대한 것으로 새로 선보인 상업적 '건강보험서비스'에서 수지맞는 사업이 될 것이라고 볼 수 있다.

성, 공포 그리고 돈은 우리 모두의 감정을 자극하는 요소들이며 독자들은 새로운 치료법이 국민의료 서비스의 지출을 증가시키는 대신 어떻게 수익을 만들어줄지 알고 싶어 하는 게 당연하다. 본 저자가 제일 좋아하는 첫 문장은 안토니 버게스의 소설 *Earthly Powers*에 있다. 첫 문장은 다음과 같다.

내가 81번째 생일을 맞는 오후, 나의 미동과 함께 잠자리에 들어 있을 때 대주교가 날 만나러 왔다고 알리가 전해 주었다.

이 책의 첫 문장이 너무 강렬해서 책이 400페이지 이상 되는 양임에도 불구하고 끝까지 읽게 만들 정도였다('미동'의 뜻도 사전을 찾아보고 알았다. '동성애를 위해 노예로 부리던 소년'이라는 뜻이다).

*British Journal of Anaesthesia*에 논문을 내면서 이런 식의 문장으로 시작을 한다면

가차 없이 거절당하고 우습게 될 것이 분명하지만 팀 알버트가 주장한 것들 중 일부는 참고할 만하다. 하지만 본 저자는 학술논문에서 자기주장이 강한 문장이나 인용문의 사용을 자제해 달라고 조언하고 싶다. 특히 셰익스피어의 작품이나 성경, 혹은 이상한 나라의 앨리스의 문장을 인용한다면 더욱 요령부득이라 하겠다.

결론

효과적인 서론을 쓰기 위해서는 자신이 겨냥하는 독자층을 알아야 하며 짧고 간결하게 써야 한다. 또한 왜 이 연구를 하게 됐는지를 밝히고 그 중요성을 피력하며 기존에 나온 학술논문들보다 진일보했다는 점을 납득시키고 첫 문장에서 독자를 사로잡을 수 있도록 노력해야 한다.

참고문헌

1. Chalmers I. Improving the quality and dissemination of reviews of clinical research. In:Lock S, ed., The future of medical journals. London:BMJ Books, 1991, pp. 127–48.
2. Mulrow CD. The medical review article:state of the science. Ann Intern Med 1987;104:485–8.
3. World Medical Association. Declaration of Helsinki. Recommendations guiding physicians in biomedical research involving human subjects. JAMA 1997;277:925–6.
4. Moher D, Schulz KF, Altman DG. The CONSORT statement:revised recommendations for improving the quality of reports of parallel-group randomised trials. Lancet 2001;357:1191–4.
5. Lau J, Antman EM, Jimenez -Silva J, Kupelnick B, Mosteller F, Chalmers TC. Cumulative meta-analysis of therapeutic trials for myocardial infarction. N Engl J Med 1992;327:248–54.
6. Bero L, Delamothe T, Dixon A, et al. The electronic future:what might an online scientific paper look like in five years' time? BMJ 1997;315:1692–6.
7. Delamothe T. Is that it? How online articles have changed over the past five years. BMJ 2002;325:1475–8.
8. Müllner M, Groves T. Making research papers in the BMJ more accessible. BMJ 2002;325:456.
9. Smith R. Scientific articles have hardly changed in 50 years. BMJ 2004;328:1533.
10. Doll R, Peto R, Boreham J, Sutherland I. Mortality in relation to smoking:50 years' observations on male British doctors. BMJ 2004;328:1519–33.
11. Doll R, Hill AB . The mortality of doctors in relation to their smoking habits. A preliminary report. BMJ 1954;228(i):1451–5.
12. Moher D, Cook DJ, Eastwood S, Olkin I, Rennie D, Stroup DF. Improving the quality of reports of meta-analyses of randomised controlled trials:the QUOROM statement. Quality of reporting of meta-analyses. Lancet 1999;354:1896–900.
13. Drummond MF, Jefferson TO. Guidelines for authors and peer reviewers of economic

submissions to the BMJ. The BMJ economic evaluation working party. BMJ 1996;313:275–83.

14. Bossuyt PM, Reitsma B, Brns DE, et al. Towards complete and accurate reporting of studies of diagnostic accuracy:the STARD initiative. BMJ 2003;326:41–4.

15. EQUATOR Network [Internet]. Available at:http:// www.equator-network.org/ (accessed 25 July 2012).

16. Albert T. Medical journalism:the writer's guide. Oxford:Radcliffe, 1992.

제3장 연구 방법

고든 B. 드러몬드

영국 에딘버러대학교 마취/통증의학과

연구를 어떻게 설계하고 수행하였는지 그리고 그 데이터를 어떻게 분석했는지를 논리적인 순서로 기술하여야 한다. CONSORT, ARRIVE, SQUIRE, STROBE 그리고 가장 유용하다고 할 수 있는 EQUATOR와 같은 약어들에 이러한 지침과 점검 사항들이 충분히 나와 있다[1]. (최근에는 연구 방법을 전문으로 하는 직업인도 등장했다.) 이러한 지침은 대개 의학논문을 대상으로 나와 있긴 하지만 일반적인 경우에도 유용하다. 점검사항은 실제로 일을 진행하기 전에 읽어야 실질적으로 도움이 될 수 있다. 따라서 연구 방법을 연구가 완료된 후에 쓰려고 미뤄서는 안된다! 적합한 계획을 세우면 실수를 범하기 전에 미리 발견할 수 있다. 연구를 시작하기 전에 연구 방법 부분을 전부 쓰도록 하고 경험이 많은 동료에게 검토를 부탁하도록 한다. 저자가 하고자 하는 바를 확실히 규정하는 것은 매우 유용한 습관이 되며 여러 달 힘들게 노력한 후 뻔한 실수를 저지르는 것보다 훨씬 현명한 일이다. 치료와 관련한 임상시험들은 연구 시작 전에 반드시 등록되어야 하며 등록되지 않은 연구를 학술지에 올려서는 안 된다.

가설 검정

독자들은 논문에서 방법란을 읽을 때 연구에서 무엇을 시행하였는지 보다 더 많이 알고 싶어 한다. 연구 방법에는 '누가, 무엇을, 왜, 언제 그리고 어디서'가 전부 포함되어야 한다. 그리고 무엇보다 중요한 것은 검증하고자 하는 가설이 진술되어야 한다. 예를 들자면 어떤 치료법이 생존율을 높인다거나 치료 결과를 개선하는데 특정한 효과가 있다는 가설 말이다. 전통적으로 통계검정은 치료 효과가 전혀 없음(귀무가설)을 전제로 한 후 관찰된 결과가 발견될 확률이 어떠한지를 밝히게 된다. 당연히 우리는 이 가능성이 매우 작기를 바란다(완전한 확실성을 의미하는 1보다 훨씬 더 작게). 우리는 귀무가설을 반증하기 위해 이러한 유의확률(P-value)이 얼마나 작아야 하는지 언급한다. 이것이 바로 연구의 목표를 나타내는 문장이다. 두 항생제의 치료성적을 비교하는 연구라고 하면 귀무가설은 두 항생제의 치료율에 아무런 차이가 없다고 전제한다. 그리고 두 항생제가 동일한 효과를 갖고 있다고 가정할 때 마치 두 샘플 모두 한 인구에서 추출한 것처럼 발견될 수 있는 가능성을 통계검정을 통해 밝힌다. P-value가 0.05보다 작다는 것은 (전체 확률을 1로 잡았을 때) 실험을 계속 반복했을 때 그런 표본이 발견될 가능성이 20번 중 1번 미만일 것임을 의미한다. 많은 논문들은 단순히 'P < 0.05은 유의하다고 간주함'이라고 쓰지만 이렇게 쓰는 것은 너무 평범하고 다른 임계치를 정한 후 정당화할 수도 있다. P-value가 작다면 두 항생제의 치료율이 같을 가능성이 희박하다는 것을 나타내지만 그럼에도 불구하고 그 차이가 중요하다는 것을 보여주어야 한다. 일치하지 않다는 것이 꼭 관련이 있다는 것은 아니다. 다른 질문이 더 적절할 수도 있다. 더 좋은가? 더 나쁘지는 않은가? 이럴 경우 다른 기준을 정하고 검증해야 한다.

연구의 검정력은 자주 간과되기는 하지만 확률이라는 동전의 또 다른면이라 할 수 있다. 만일 귀무가설이 기각되지 않았다면 연구의 신뢰성에 의문이 감에도 불구하고 둘 사이에 차이가 없다는 결론을 내려서는 안된다. 사실은 단지 연구의 통계적 검정력이 작아서 그 차이를 구별하지 못했을 수도 있기 때문이다. 당신의 연구 방법이 귀무가설을 적합하게 검증할 만큼 충분히 엄격하게 설계되었는가? 실제로는 차이가 있으나 단지 그 차이가 너무 작을 수 있다. 또한 실제로 결과의 차이가 존재하기는 하지만 측정방법의 문제로 인해 저자가 찾고 있는 효과를 발견하지 못 했을 수도 있다. 두 경우 모두 작은 '신호대잡음 비율'이 존재한다. 저자는 본인이 찾는 것을 찾아내기 위하여 연구의 검정력을 정해야 하며 위음성 결과가 나올 가능성도 고려해야 한다. 이것이 '베타 오류(β error)'이다. 이러한 결정은 얼마나 정확한 답이 요구되는지 그리고 부정확한 결론의 요인에 따라 좌우된다. 베타값은 주로 0.2로 정하는데 이는 위음성 결과를 피하기 위해 검정력을 0.8로 정했음을 의미한다. 실제로 연구에서 검정력은 효과의 크기와 데이터의 변동성 그리고 관측 횟수에 의해서 결정된다. 일반적으로는 검정력을 0.8로 정하는 것이 적당하다. 그러나 만일 위음성 결과가 연구에 중요한 영향을 미친다면 검정력을 달리 정해야 할 수도 있다. 뿐만 아니라 항상 가설을 명백하게 언급해야 한다. 그 이유는 적합하고 연관성 있는 데이터를 수집하고 정확한 통계검정을 수행하기 위해서이다. 통계적 사고과정에서 논리적인 오류는 흔하기 때문에 분명한 가설을 통해 명료한 사고를 해야 한다.

통계

데이터를 분석하기 위하여 사용한 통계기법을 정확히 기재해야 하며 잘 알려지지 않은 통계기법인 경우에는 적절한 참고문헌을 제시해야 한다. 또한 사용한 통계 소프트웨어와 버전을 기재해야 한다. 그리고 선택한 통계기법을 정당화할 수 있도록 정규분포처럼 데이터에 대한 가정도 명확히 언급해야 한다. 사용된 통계기법은 이러한 가정에 의해서 좌우될 수 있기 때문이다. 때로는 연구가 완료되기 전까지 데이터의 분포가 분명하지 않은 경우가 있기도 하다. 따라서 선험적 통계기법은 신중하게 적용해야 한다.

연구설계

연구설계는 잘 선택된 몇 개의 단어로 설명할 수 있다. 특히 피험자 집단의 배정이 어떠한지 중재를 어떻게 하였는지가 중요하다. 보통 전향적 연구들이 많으며 실험군은 서로 다른 치료법에 독립적으로 배정받는다. 실험설계는 모든 집단이 동시에 서로 다른 치료를 받는 비교 실험설계가 흔하다. 이런 경우 집단간 비교를 하게 된다. 체중이나 성별 같은 교란변수의 영향을 감소시키기 위해 서로 다른 치료를 받는 참여자들을 짝지을 수도 있다. 각 참여자에 대한 치료 효과는 치료 전과 치료 후로 평가될 수 있는데 그러한 비교를 피험자 내 분석이라고 한다. 가장 간단한 연구설계는 무작위 비교실험 설계인데 집단들 간의 결과를 비교하는 것이다(표 3.1).

치료를 무작위 배정하는 것은 임상시험에서 매우 중요한 부분이다. 연구 방법에 대해 명백하게 기재해야 한다. (비슷한 표본수를 구하기 위한) 무작위 배정이나 (연

표 3.1 방법란에 포함시켜야 할 사항

연구가 어떻게 설계되었는가
- 기술은 간결하게 한다.
- 피험자들을 어떻게 무작위 배정했는지 언급한다.
- 연구의 실험군이나 섹션을 지칭하기 위한 이름을 사용한다.

연구는 어떻게 수행되었는가
- 참여자를 어떻게 모집하고 선택하였는지에 대해 서술한다.
- 탈락시킨 참여자의 제외 근거를 제시한다.
- 윤리적인 면을 거론할지 고려한다.
- 사용된 도구를 상세하게 설명한다.
- 약의 정확한 복용량을 기입한다.
- 치료의 정확한 형태와 실험에 사용된 특수 장비에 대해 이해가 가능할 정도로 상세히 설명한다.

연구의 데이터는 어떻게 분석되었는가
- 귀무가설을 반증하기 위해 P-value를 사용한다.
- 연구의 검정력을 평가한다 (위음성의 가능성, 즉 β 오류)
- 통계검정에 사용한 정확한 통계기법을 명시한다 (선험적으로 선택된)

령이나 성별 같은 교란 변수의 영향을 감소하기 위한) 계층화와 같은 특이한 사항을 설명해야 한다. 정확한 방법은 난수표 또는 봉인한 봉투 같은 도구를 사용하는 것이다. 평가가 맹검화 되었다면 평가자가 어떻게 참여자의 집단 배정을 알 수 없게 설계하였는지 설명한다. 중요한 실험이라면 맹검을 통하여 연구자와 피험자 모두 집단 배정에 대해서 몰랐음을 보여줄 수 있다. 실험이 종료된 뒤 그들에게 어느 집단에 배정되었는지 추측하게 하면 추측율이 우연히 맞출 확률보다 높은지 확인해보면 될 것이다.

그림은 복잡한 연구 설계나 중재의 순서를 묘사하는 데 큰 도움이 된다. 각각의 실험군이나 일부 연구 순서에 명확한 이름을 사용하여 독자들이 연구 결과의 전개를 따라올 수 있도록 도와주도록 한다. 이름의 약자나 짧게 줄인 이름을 쓰면 1, 2, 3으로 지칭하는 것보다 집단이나 실험을 더욱 명확하게 언급할 수 있다.

연구 참여자와 도구

독자들은 피험자가 어떻게 모집되었으며 왜 모집되었고 선택되었는지 알수 있어야 한다. 피험자를 선택할 때, 건강한 남성 피험자들을 대상으로 특정 약물이 연로한 여성환자에 어떠한 영향을 미치는지에 대한 연구를 수행할 수는 없을 것이다. 그 후 특정한 질병을 지닌 환자들을 배제시켰는가? 그리고 만약 그러하였다면 그 질병들은 어떻게 정의하고 어떻게 발견하였는가? 실험 대상자들이 본 연구에서 제외한 약을 이미 복용 중이었는가? 등과 같은 질문을 해보아야 할 것이다. 알코올과 담배의 사용은 약물 반응을 바꿀 수 있으므로 음주자와 흡연자를 제외하고 싶겠지만 그러할 경우 실제 임상시험에서는 적용하기 힘들다. 추가적으로 임상시험위원회의 연구 윤리 심의 통과를 위하여 본인이 사용할 참여기준 및 배제 기준을 목록으로 작성한다.

학술지는 논문을 수락할 때 연구 윤리 승인을 선행요건으로 요구한다. 하지만 연구 설계과정에서 고려해야 할 윤리적 부분에 대해 원고에 별도로 기술해야 할 수도 있다. 예를 들어 원고에 실험에 대한 사전 동의나 비견되는 다른 치료들에서 일어날 수 있는 실질적인 문제들을 언급해야 할 수도 있다. 연구기준에 부합하여 실험에 참여시키려고 했으나 연구에서 제외된 피험자에 대해서도 기록해 두도록 한다. 이러한 케이스의 숫자가 많은가? 실험에 참여하기로 동의한 이들과 제외된 이들의 특징적인 차이가 있는가?

실험실에서 수행한 연구의 경우 실험에 사용한 동물의 출처와 계통, 박테리아나 기타 생물학적 시료, 혹은 원료에 대해서 상세히 서술해야 한다[2]. 이러한 정보가 있어야만 다른 연구들과의 비교가 가능해지며 타인들도 연구를 재현할 수 있게 된다. 정확한 약물 사용량(상품명, 잘 알려진 것이 아닐 경우에는 화학식, 또한 사용된 전

매약품)을 정확히 표시하고 정확한 농도와 더불어 그 용액을 어떻게 준비했는지도 기재하도록 한다.

치료법의 경우 반드시 동일한 연구를 반복수행할 수 있도록 상세히 묘사되어야 한다. 만약 방법, 도구, 그리고 기술이 임의 영점 혈압계 또는 폐활량 측정기와 같이 널리 알려진 것이거나 혹은 교과서에서 쉽게 찾을 수 있는 것이라면 상세한 정보를 줄 필요는 없다. 그러나 플라이쉬 호흡 유량계와 같이 흔하게 쓰이는 장비도 제품명, 종류 그리고 제조사는 기재해야 한다.

흔하지 않거나 독특한 방법은 상세하게 묘사하거나 혹은 그 방법에 관해 나와 있는 적절한 참고문헌을 제공한다. 제공한 참고문헌이 단지 이전 논문의 초록이나 제한적인 정보라면 독자들이 호의적으로 생각하지 않을 것이다. 만약 확신이 없다면 상세한 설명을 제공하고 채택한 연구 방법이 왜 적합한지 적어야 할 것이다.

사용된 장비에 대해 충분히 설명한다면 독자들은 연구 결과에 대해 확신을 가질 수 있을 것이다. 장비가 적합하고 측량이 정확하며 재현이 가능한가? 각각의 항목은 개별적으로 고려되어야 할 필요가 있을 수도 있다. 욕실용 체중계에 문제가 없는지 확인했고 최근에 눈금을 매겼다면 사람의 체중을 측정할 수 있다. 하지만 이와 정반대로 부적합한 화학적 분석은 다른 물질에 반응하고 표본이 두 번 실험되었을때 다른 결과를 보여주거나(재현 가능성이 낮음) 표준에 어긋나는 결과가 나오게 된다(부정확함). 또 일관되게 실제값과 다르다면(편향된) 분석이 명확하지 못할 수도 있고 이 방법은 낮은 농도(충분히 민감하지 않기 때문에)를 감지 못할 수도 있다. 이런 오류들은 연구를 무용지물로 만들수 있다.

따라서 경우에 따라 사용한 측정도구를 어떻게 눈금 매겼는지, 표준화했는지, 또는 선형성이나 주파수 반응을 확인하였는지 언급해야 할 필요도 있다. 실험장비의 정확성을 이야기하기 위하여 단순히 제조업체의 자료를 그대로 인용하는데 그쳐서는 안된다. 특히 연구에 필수적인 부분일 경우에는 더욱 그렇다. 눈금을 매길 때 사용한 기준을 반드시 기입해야 하고 그 결과도 인용되어야 한다. 만일 컴퓨터 분석을 위하여 아날로그-디지털 변환이 이루어진 경우에는 표본추출 비율과 표본추출의 정확도

표 3.2 좋은 연구 방법을 쓰기 위해 점검해야 할 사항

- 연구에서 어떤 문제를 제기하고 있는지, 무엇이 실험되고 있는지, 측정방법을 얼마나 신뢰할 수 있는지 본문에 제기했는가?
- 그 측정이 정확하게 기록되고 분석된 후 해석되었는가?
- 충분히 자격이 있는 독자가 연구 방법을 참고하여 동일한 실험을 재현하는 것이 가능한가?

를 반드시 제공해야 한다.

어떠한 측정과 추적조사를 하든지 적합한 묘사를 해줄 필요가 있다. 미리 검증된 설문지를 사용해야 하며 자료수집 및 데이터 가공도 점검되어야 한다(표 3.2).

요약

논문에서 연구 방법 부분을 어떻게 쓰는 것이 좋을지에 대한 조언은 넘치도록 많으며 주변에서 쉽게 접할 수 있을 것이다. 그러나 이 과정에서 빠지기 쉬운 오류와 함정에 대한 정보는 여전히 부족하다. 그러니 당신의 연구에 흥미를 보이는 경험이 많은 동료들에게 조언을 구하도록 하자. 매우 유용한 방법이 될 것이다.

참고문헌

1. Simera I, Altman DG. Writing a research article that is 'fit for purpose':EQUATOR Network and reporting guidelines. Evid Based Med 2009;14:132–4.

2. Kilkenny C, Browne WJ, Cuthill IC, Emerson M, Altman DG. Improving bioscience research reporting:the ARRIVE guidelines for reporting animal research. PLoS Biol 2010;8:e1000412.

제4장 연구결과

찰스 W. 호그

미국 볼티모어 존스 홉킨스 의과대학 마취학과/응급의학과 교수

결과란에는 연구실 실험 혹은 임상연구를 통해 발견한 내용을 객관적으로 보고한다. 이 부분은 본문, 표 그리고 그림으로 구성된다. 연구결과는 간결하게 작성해야하며 주관적 해석을 피하고 연구의 가설을 입증하기 위한 필수적인 데이터를 제시해야 한다. 더 나아가 이 부분은 방법란에서 제시한 연구의 순서와 일치하는 논리의 순서를 따라야 한다. 이 부분을 작성하기 전에 미리 표와 그림이 나올 순서를 정리해두면 도움이 된다. 그리고 최종적으로 논문을 실을 학술지의 '논문 투고 안내'를 확인하여 논문 길이, 허용되는 표와 그림의 개수, 형식에 대한 상세한 지시를 읽어두도록 한다.

본문

연구대상은 연구결과의 타당도와 그 결과를 일반화하는데 매우 중요한 역할을 한다. 그러므로 연구대상에 대한 적절한 설명이 결과란의 맨 처음에 나와야 한다. 연구에 참가 하였으나 배제된 경우 혹은 더 이상 연구에 참여하기를 포기한 경우 등 연구를 끝까지 마치지 못한 이들을 포함해서 연구에 참가했던 모든 대상자들에 대해서 설명해야 한다. 대상을 선택하는데 있어 편견이 없었다는 것을 독자들에게 확인시키기 위해 동의를 철회한 환자들이 있다면 그 이유에 대해서도 언급해야 한다. 또한 분석대상이 된 최종 연구참여 대상군에 대해서는 보다 명백하게 기술해야 한다. 독자들은 자료수집의 완성도와 결측치가 어떻게 처리되었는지를 알고 싶어한다(상세한 결측 정보를 보여주거나 또는 이를 어떻게 보완하였는지). 만일 연구에 여러집단이 참가하였다면 그들의 연령, 성별, 체중, 신체적 상태 혹은 복용 약물 같은 중요한 특징들에 대해서 집단간의 비교정보를 제공해야 한다. 간결하게 쓰되 발견한 사실 중 중요한 사항을 강조하며 표에 이미 제시한 정보를 반복하지 않도록 한다. 연구결과란에는 보통 참고문헌을 포함하지 않는다. 그리고 흔히 쓰는 약어를 제외한 다른 약자의 사용을 피하도록 한다. 과도한 약자 사용은 본문을 읽는 것을 번거롭게 한다(**표 4.1**).

> **표 4.1 잘 작성된 연구결과의 필수 요소**
> - 연구에 참여한 모든 대상을 설명하고, 논문의 초록과 본문, 표와 그림에서 대상의 숫자가 일치하는지 재차 확인한다.
> - 간결하게 쓰며 중요하게 발견한 사실을 강조한다.
> - 표에 나온 정보를 반복하여 본문에 쓰지 않는다.
> - 약자의 표기를 최소화한다.
> - 각각의 표나 그림에 나온 결과는 별개의 문단에 기술한다.
> - 각 문단을 주제문으로 시작하되, 표나 설명문을 재차 되풀이하지 않는다.
> - 연구 결과는 반드시 결과 부분이 아닌 고찰 부분에서 그 의미를 해석하고 다루어야 한다.

우선 독자들에게 어떠한 데이터를 제공할 것인지를 알려주기 위해서 각 문단을 주제 문장으로 시작하도록 한다. 이것은 연구결과를 볼 수 있는 표와 그림 등 데이터에 대한 요약이 될 수도 있다. 예를 들어 '두 집단 간에 심근경색의 크기와 위험 영역은 그림 X에 제시하였다'와 같은 문장이나 혹은 '심근경색의 크기와 위험영역은 처치를 한 동물이 대조군에 비해서 작았다(그림 X)'와 같이 표현할 수 있다. 그러나 이러한 주제문은 단순히 그림이나 표를 그대로 다시 반복하는 문장이어서는 안되고 저자가 제시한 가설에 대한 대답이나 두 번째 결과를 서술하기 전에 처음 도출한 결과에 대한 제시가 바람직하다. 일반적으로 자료들은 요약되거나(예를 들어서 정규분포 여부에 따라서 평균치나 중앙값으로 정리) 변환되어 (기준치와 비교한 상대적 값) 제시된다. 그러므로 표준편차나 표준오차, 사분편차 혹은 95% 신뢰구간 같은 결과의 가변성에 대해서도 제시 해야한다. 어떤 경우에는 원자료를 제공하기도 하는데 이때 인간대상의 연구에서는 피험자를 식별할 수 있는 일체의 개인정보(예를 들어 이름의 약자, 나이, 시술일자와 거주지 등)가 포함되어서는 안된다.

표와 그림에서 사용된 데이터를 본문에서 반복하여 제시해서는 안되지만 연구결과는 본문에 제시하는 것이 좋다. 다음의 예는 연구결과를 보여줄 때 데이터를 과대하게 나열한 예이다. 'Sevoflurane을 투여받은 실험동물은 심근경색의 위험부위가 $25 \pm 3\%$ 였으며 대조군의 심근경색 위험부위는 $40 \pm 3\%$였다.' 이런 종류의 정보는 테이블을 통해 제공된 정보를 다시 한번 되풀이하고 있어서 독자가 다시 해석해야 하는 번거로움이 있다. 따라서 이보다 적절한 방식은 독자들에게 데이터가 어디에 나와있는지 안내해준 후 '실험군에서 심근경색 위험부위의 크기는 대조군에 비해 작았다($p = 0.004$)'라고 언급하는 것이다.

그리고 초록, 테이블/그림, 고찰과 같은 원고의 곳곳에 흩어져있는 데이터들이 일관되게 표시되었는지를 주의해서 살펴야 한다. 여러 데이터들이 정확히 제시되어야 지 서로간에 모순이 생겨서는 안된다는 것을 유념해야 한다. 통계 소프트웨어에서 너무 작은 유의확율로 나타나는 경우(예를 들어, $p < 0.001$)를 제외하고는 유의확율 $p < 0.05$ 처럼 표현하기보다는 $p = 0.014$ 처럼 표현하는 것이 더 바람직하다.

연구가 이미 종료된 상태이므로 논문을 작성할때는 과거시제를 사용하여 작성한 다. 메커니즘을 설명하거나 결과의 의미를 설명하려하지 말고 데이터 자체와 관계 를 보여주어야 한다. '연관성'이나 '상관성' 같은 용어가 결과란에 적합하다. 그러나 왜 이런 변수들이 '연관'되어 있거나 '상관'이 있는지에 대한 내용은 연구결과를 해석 하는 고찰 부분에서 서술하도록 남겨두어야 한다. 뿐만 아니라 '상당히'라는 표현을 지양해야 하고 '두드러지게' 같은 용어 대신 '유의한' 같은 용어를 사용해야 한다. 어 느 정도가 '두드러지게' 인지 혹은 '상당하게' 인지는 개인마다 해석하는데 차이가 있 기 때문이다. 이러한 형용사들을 사용하는 것은 애매함을 유발할 수 있지만 방법란 에서 유의학율이 정의된 경우 이와 관련하여 '유의한' 또는 '유의하게' 라는 표현을 쓸 수 있다. 예를 들면 '실험군이 대조군에 비해서 심근경색의 크기가 유의하게 작았 다'라는 문장에서 '유의하게'가 어느 정도인지 분명하지 않다. 따라서 이보다 더 바람 직한 문장은 '실험군은 대조군에 비하여 심근경색의 크기가 더 작았다($p = 0.014$)' 정 도가 될 것이다.

표

표는 독자들이 연구결과를 시각적으로 쉽게 이해할 수 있도록 서술적으로 제시해 야 한다. 일부 학술지에서는 이러한 목적을 최적화하기 위하여 데이터를 편집할 때 색 을 사용하여 데이터를 강조하거나 정리할 수 있도록 허용하기도 한다. 논문 원고에서 각 표는 별개의 페이지에 제출해야 하며 본문에 어떤 내용을 이야기하는지 식별할 수 있도록 순서대로 번호가 매겨져 있어야 한다. 표에 번호를 매기는 법에 대해서는 투 고하고자 하는 학술지의 지침을 확인한다. 처음 제기한 가설에 해답을 주되 표의 제 시는 최소화하는 것이 좋고 연속된 표나 그림에서 동일한 데이터가 중복되어서는 안 된다. 다른 출판물에 나왔던 표를 사용할 경우 설명문에 그 출처를 올바르게 명시해 야 하며 에디터에게 제시할 때 표를 사용할 수 있도록 허가를 받아야 한다.

표에서는 문장으로 다 표현하기 어려운 많은 데이터를 정리해서 제시할 수 있다. 같은 맥락에서, 본문에서 충분히 제시할 수 있는 몇 개의 데이터를 표를 통해서 제시 하는 것은 대개 불필요하다. 표의 또 다른 역할은 일련의 관계를 보여주는 것이다. 그러므로 표의 한 열의 정보가 다른 열의 정보와는 관련이 없이 단순히 목록을 나열 하는데 그치지 말고 관련성있게 표를 제시할 수 있어야 한다.

표는 범례 혹은 제목, 표의 본문 부분과 각주로 구성된다. 범례는 간결해야 하며 표 내용의 주된 문맥을 포함하고 있어야 한다. 표 본문은 열과 여러 줄의 행으로 구성되어 있다. 수치를 보여주는 표에는 각 열에 한 값만 포함해야 한다. 또는 각 열에는 내용을 표현하는 머릿글이 있어야 한다. 첫 번째 열에는 여러 행에 걸쳐서 독립변수들의 목록을 열거하는 것이 일반적이며 이어져나오는 열에는 종속변수의 데이터가 제공된다. 각 군의 참가자 숫자(n)는 첫 번째 행의 머리글 아래에 열거한다. 실험군의 설명이 너무 긴 상황에서는 부제를 사용할 수도 있다(표 4.2).

표의 양식은 포함되는 내용에 따라 좌우된다. P-value는 흔히 주석과 기호를 사용해서 표시한다. 기호로 표시된 실제 P-value는 각주에 따로 언급한다. 하지만 이러한 방식은 비교해야 할 변수가 많은 경우 사용하기 어려울 것이다. 또한 많은 독자들은 실제 P-value가 미리 정해진 유의수준에 미치지 못하더라도 그 값과 비교결과를 알고 싶어 할 것이다. 예를 들어 특정 비교분석에서 P-value가 0.06인 것과 0.86인 것은 독자들에게 의미가 다를 수 있다. 전자의 경우에는 유의할 수 있으나 단지 표본수가 충분치 않아서 그러한 결과가 나왔을 수 있으며 후자의 경우에는 전혀 의미 없는 연구임을 암시할 수 있다. 따라서 통계분석의 결과를 보여주는 가장 효과적인 방식은 각 P-value를 별도의 열에 표기하고 비교할 수 있게 하는 것이다.

대상집단이 많거나 다양한 비교를 하게 될 때 표는 더욱 복잡해진다. 독자에게 혼란을 주지 않기 위하여 측정 단위를 잘 열거할 필요가 있다. 열의 각 칸들의 단위가

표 4.2 표를 구성할 때 고려 사항

- 표가 시각적으로 쉽게 읽힐 수 있도록 한다.
- 각 표는 별개의 페이지에 나타내고 본문과 참조되는 순서대로 번호를 매긴다.
- 한 데이터를 복수의 표나 그림에 반복하지 않도록 한다.
- 한 칸에 단 하나의 수치만 기입한다.
- 표의 내용을 요약해주는 간결한 범례를 제공한다.
- 독자가 본문의 내용을 다시 살펴보는 수고를 덜도록 표에 사용한 약자는 모두 풀어서 다시 제시해준다.
- 각 열에 머릿글을 포함시키고 각 대상군의 참가자 숫자를 분명하게 표시해준다 (n).
- 비교군이 적을 때 실제 수치를 비교하기 위하여 각주에 유의확률을 별도로 제공하는 것이 바람직하다.
- 더 상세한 비교를 위하여 모든 유의확률을 별도의 열에 표기할 수도 있다.
- 'P = NS' 혹은 'P > 0.05' 같은 표현보다 실제 유의확률을 제공하도록 한다.
- 측정단위를 기입할 때는 행의 머리말에 있는 각 변수를 쓴 후 괄호안에 기입하는 것이 바람직하다.

동일하다면 열의 제목에 단위를 표기하여도 좋다. 다른 경우에는 단위를 각 행의 제목에 제시된 변수 옆에 괄호로 기입한다(이것을 stub이라고 부르기도 한다). 또한 표의 행에는 각 변수와 함께 수치에 대한 설명을 표시해야 한다. 예를 들어서 정규분포 데이터를 나타낼 때는 표준과 표준편차를 제시하고 정규분포를 하지 않는 경우는 중앙값과 사분위수 범위를 표시한다. 남녀처럼 두 가지 경우로 나뉘는 데이터의 경우 변수와 함께 실험대상의 비율을 표기해 준다. 특정 학술지가 선호하는 단위가 있을 수 있으니 저자를 위한 투고 안내를 꼭 살펴야 한다. 대부분의 경우 국제단위계를 사용하지만 정확한 단위는 다양할 수 있으며 특히 국가간 편차가 있다. 소수점 단위는 실험결과를 정확하게 보고할 수 있는 최소한의 단위만 사용하기를 권한다. 여러 열들과 표준편차, 그리고 본문에 있는 특정한 측량은 모두 공통된 소수점 단위를 표기하도록 한다. 표기된 정확한 수치들은 임상적으로 관련이 있는 값을 반영해야 한다. 예를 들어 mmHg로 표현되는 혈압과 같은 측량은 분수가 아닌 정수로 보고되어야 한다. 이러한 경우 요약된 데이터는 주 단위의 일부로 기재되면 안 된다(예를 들어서 59.9mmHg가 아니라 60mmHg로 표현한다).

독자는 본문을 참고하지 않고 표를 읽을 수 있어야 한다. 다시 말해 모든 약자는 각 표마다 범례 혹은 각주에 정의되어야 한다. 약자의 사용, 특히 일반적으로 흔히 사용하지 않는 약자의 경우 과도하게 사용하는 것을 피해야 한다. 열의 제목을 파악하기 위해 표가 나온 첫 번째 장을 계속 찾아보는 것은 논문을 심사하는 리뷰어에게 매우 귀찮은 일이다. 표가 여러 장에 걸쳐서 나올때 각 장의 첫 행에 열의 제목을 다시 표기해주면 이러한 문제를 피할 수 있을 것이다.

그림

연구결과를 시각적으로 표시하기 위하여 그래프, 차트, 그림 그리고 동영상과 같은 것들을 사용한다. 그림을 준비할 때는 그림의 크기가 축소되어 인쇄된다는 점을 명심해야 한다. 차트와 그래프를 사용할 때 독자들이 연구결과를 더욱 잘 이해할 수 있어야 한다. 그러므로 그래프의 모든 축이 정확하게 표시되어야 하며 불필요한 장식(예를 들어서 2차원 그래프 위에 3차원 막대를 그리는 것)의 사용은 피한다. 요즘에는 많은 학술지들이 그림을 컬러로 인쇄한다. 노란색처럼 잘 보이지 않는 색은 피하고 배경은 계속해서 흰색으로 사용하도록 한다. 명암은 일반적으로 15% 이하로 내려가지 않는 것이 좋다. 과학적 그래프를 만드는 전용 프로그램인 Prism 이나 SigmaPlot 을 사용하는 것이 엑셀에서 만든 그래프를 제출하는 것보다 낫다. 그래프 축은 검정이어야 하며 라벨은 알아보기 쉽도록 크게 만들어야 한다. 선 두께는 일관되게 유지해야 하고 0.25pt 이하이면 안된다. 만약 선이 인쇄물에서 스캔된 것이라면 최소 600 dpi인 TIFF 또는 JPEG 파일로 제출하도록 하고 너비가 약 15cm 혹은

6인치이어야 한다. 파워포인트 포맷으로 그림을 제출하는 일은 삼가자. 만약 사진을 사용한다면 그림 번호와 그림의 위쪽 표시를 사진 뒷면에 라벨을 만들어 붙인다. 책의 일부분을 사용한다면 라벨에 책의 장을 기입하여 준다. 사진의 복사본을 요구하는 경우가 많다(**표 4.3**).

본문에 나오는 순서대로 그림에 숫자를 매겨야 한다. 각 그림에는 데이터를 설명하는 범례가 필요하다. 약자, 그리고 다른 모든 표기들은 그림에 사용되었던 본문에 이미 사용되었든 관계없이 각 그림의 범례에 규정되어야 한다. 표와 마찬가지로 그림도 그 자체를 설명해야 하며 데이터를 해석하기 위해 독자가 본문을 참조하는 일은 없어야 힌다. 그림이 여러 파드로 구성되어 있다면 (예를 들어서 A-D) 흔히 책을 읽는 방식인 왼쪽에서 오른쪽 그리고 위에서 아래의 순서로 제시되어야 한다. 범례

표 4.3   그림과 삽화를 준비할 때의 유의사항

- 엑셀로 만든 단순한 그래프가 아닌 과학 그래프 전용 프로그램을 사용하도록 한다.
- 색을 사용할 경우 배경은 흰색을 쓰며 노란색처럼 잘 보이지 않는 색은 사용하지 않는다.
- 그래프 축 도안은 검정이어야 하며 0.25pt 보다 두께가 얇으면 안 된다.
- 인쇄된 그림을 스캔할 경우 최소 600dpi의 TIFF나 (파워포인트가 아닌) JPEG 형식으로 제출해야 하며 너비는 15cm 혹은 6inch 이어야 한다.
- 그래프의 모든 축의 제목은 명확히 표기되어야 한다.
- 그림은 본문에 등장하는 순서대로 번호가 매겨져야 한다.
- 데이터와 모든 주석을 묘사하는 각 그림에 범례를 제공한다.
- 그림은 그 자체로 설명되어야 한다. 독자가 설명을 찾느라 본문을 참고하게 해서는 안 된다.
- 그림을 재사용 할 경우 허가가 필요하며, 그림 범례에 그 출처를 확실하게 명시해야 한다.
- 연구결과와 연구의 이해를 증가시킬수 있는 보충적인 표, 그래프, 부록, 영상 및 음향자료를 포함시킬지 고려해 본다.
- 동영상 형식은 주로 MPEG-4, QuickTime 또는 Windows Media video를 쓴다.
- 비디오 동영상은 480×360 의 해상도와 640×480의 픽셀로 15분 내지 25분으로 제한한다.
- 선호하는 오디오 포맷은 WAV 혹은 MP3가 있다.
- 영상 및 음향자료를 제출하기 전에 학술지의 선호도를 확인해본다(예를 들어서 CD인지 DVD인지).

에 나오는 그림의 설명도 동일한 순서로 제시되어야 한다. 다른 출간물에서 발췌해서 그림을 재사용할 때에는 출판사로부터 허가를 받아야 하며 범례에 출처를 합당하게 밝혀야 한다.

논문과 함께 보충 데이터를 제출하여 학술지의 웹사이트에 기재하여 독자들이 볼 수 있도록 한다. 이 데이터는 추가적인 표, 그래프, 차트, 부록, 영상 및 음향 자료 등 여러 가지 형태일 수 있다. 최근에는 연구의 이해와 그 결과물의 파급을 증대시키고자 영상 및 음향 자료의 사용이 증가하는 추세이다. 그러한 예로는 심초음파 영상이나 이미지가 있다. 하지만 시술날짜를 포함한 환자의 신원이 밝혀질 수 있는 정보는 신중하게 다뤄야하며 임상자료에 포함되지 않도록 한다. 보충자료를 처음 언급할 때에는 본문에 인용하는 것이 좋다. 예를 들어서 심초음파 영상은 '보충자료 동영상 1 참조'로 언급되어야 한다. 그림 및 비디오 보충자료를 준비할 때는 학술지가 선호하는 형식을 알기 위해 학술지가 제시하는 '저자를 위한 논문투고안내'를 참조한다. MPEG-4, QuickTime 또는 Windows Media Video와 같이 널리 쓰이는 비디오 포맷을 선호한다. 음향 보충 자료는 일반적으로 WAV 혹은 MP3 형식이다. 동영상 크기를 10MB 미만으로 줄이기 위한 영상압축이 권장되며 15분 내지 25분으로 제한한다. 해상도는 480×365와 640×480의 픽셀로 최적화한다.

결론

논문의 결과 부분은 원고에서 가장 중요한 부분이지만 가장 쉽게 작성할 수 있다. 과학논문을 쓰는 것은 종종 단편소설을 쓰는 일에 비유되기도 한다. 범죄미스터리에 비유하자면 서론과 방법란은 배경, 등장인물, 그리고 이야기의 동기를 제공하고 고찰 부분은 모든 정보를 연결하는 결말이라고 볼수 있다. 그러나 독자들이 기대한 부분은 바로 이 연구결과 부분이다. '누가 했나?'라는 질문의 답을 제시하는 부분이기 때문이다. 본문, 표 그리고 그림을 능숙하게 사용한다면 독자에게 연구(이야기)의 핵심을 정리하여 간결하게 전달할 수 있을 것이다.

추가적인 읽을거리

Anesthesia & Analgesia, Guide for Authors. 2012. Available at:http://www.aaeditor.org/GuideForAuthors.pdf (accessed 24 July 2012).

Chipperfield L, Citrome L, Clark J. et al. Authors' submission toolkit:a practical guide to getting your research published. Curr Med Res Opin 2010; 8:1967-82.

Kiefer JC. Science communications:publishing a scientific paper. Dev Dyn 2010; 239:723-6.

O'Connor TR, Holmquist GP. Algorithm for writing a scientific manuscript. Biochem Mol Biol Educ 2009; 37:344-8.

제5장 고찰

조지. M. 홀

영국 런던 세인트조지대학 마취/중환자의학교실

많은 연구자들이 논문을 작성할 때 이 부분을 가장 어렵게 생각한다. 이를 극복하기 위해서는 논리적이고 원칙에 맞도록 고찰을 적는 연습을 해야 한다. 만족스러운 고찰은 **표 5.1**에 나와있는 구조를 바탕으로 쓸 수 있다. 특별한 원칙 없이 문헌고찰에서 발견한 모든 논문들을 전부 전부 다 인용하려고 한다면 독자에게 지루함만 안겨주는 형편없는 논문이 될 것이다. 짧게 쓰되 정곡을 찌르며 연관성을 잃지 않도록한다. 유용한 조언은 '애매하다고 생각되면 삭제해 버려라'이다. 고찰 부분이 너무 짧다는 이유로 논문이 거절당하지는 않는다.

주요한 발견

독자는 이전까지 연구의 결과에 대한 상세한 부분을 다 읽었으므로 이제는 핵심적인 부분을 다시 상기시켜 주는 것이 중요하다. 고찰에서 이 부분을 작성할 때는 전체 결과를 두세 줄의 문장으로 요약해 주는 것이 좋다. 이 문장들은 명확해야 하며 절대 모호해서는 안되는 '핵심 메시지'여야 한다. 또한 이 문장은 초록부분에서도 사용할 수 있다. 그리고 데이터의 추가적인 분석을 고찰 부분에 넣어서는 안 된다. 만약 결과란에서 중요한 것을 누락했다면 결과부분으로 돌아가서 그 부분을 다시 작

표 5.1   고찰의 전형적인 구조
- 연구의 주된 결과의 서술
- 연구 방법의 평가
- 선행 연구와 비교
- 임상적 또는 과학적 의의(만약 있다면)
- 후속 연구
- 결론(부가적)
- 감사의 글

성해야 한다.

연구 방법

연구에 사용된 방법이 완벽할 가능성은 희박하므로 연구 방법에 대한 짧막한 평가를 고찰 부분에서 포함시키는 것이 좋다. 흔한 문제로는 표본의 크기가 있으며 본문에서 다룬 검정력 계산이 너무 낙관적인 것일 가능성이 있다. 이 사실을 에디터와 리뷰어에게 숨겨 봤자 좋을 것이 없다. 차라리 당신의 연구를 예비연구로 발표하고 추후 다른 연구자들이 보다 큰 표본수로 가설을 입증하기에 충분한 검정력을 가진 연구를 수행할 수 있도록 해주는 것이 바람직할 수도 있다.

특이한 연구디자인은 리뷰어들을 당황하게 할 수 있으므로 왜 그러한 연구디자인을 하게 되었는지 이유를 명확하게 설명한다. 가능하다면 비슷한 방법을 이용한 다른 연구를 인용함으로써 본인의 연구 방법의 정당성을 제공하는 것이 좋다. 좀 과격한 비유를 들자면 '소 잃기 전에 외양간을 고쳐라'라는 말이다. 처음부터 연구계획에 내재된 어려움을 이미 고려했다는 점을 시사함으로써 에디터와 리뷰어에게서 나올 수 있는 비판에 미리 대비할 수 있도록 준비하라는 것이다.

한편 이 부분에서 연구에서 사용한 방법의 강점을 강조할 수도 있다. 예를 들어 기존의 방법보다 더 정확하고 민감한 혈액 내 특정 물질을 검출해내는 방법을 개발하여 일상적 수술에서 다른 연구자들이 볼 수 없었던 특별한 변화를 관찰해 낼 수도 있다. 또한 연구방법부분에서 기존 연구자들의 연구 방법을 비판하는 것이 필요할 수도 있으나 반드시 객관성을 유지하고 공정한 자세를 잃지 않도록 한다.

기존 연구

고찰의 핵심적인 부분은 저자가 자신의 연구를 기존에 출판된 다른 연구들과 비교하는 것이다. 연구주제와 관련된 중요한 연구들을 인용해야 하며, 그것은 본 연구결과를 지지해주거나 혹은 반대되는 것들이어야 한다. 연구주제를 제시하면서 단순히 서론에서 사용했던 문장을 반복하지 말아야 하고 또한 직접 읽지 않은 논문은 절대로 인용해서는 안될 것이다. 그리고 고찰부분을 작성하다보면 리뷰어들에게 본인이 철저하게 문헌 고찰을 했다는 점을 보여주기 위해 그 주제에 관련되어 나온 모든 논문을 인용하고 싶은 충동이 생길 수도 있다. 그렇지만 이에 절대 굴해서는 안된다. 유혹을 참아내라. 참고문헌의 과다 인용은 학식을 자랑하는 것이 아니라 확신이 없다는 표시이다. 유수한 연구자들의 이름을 알고 있다면 그 연구자가 아니라 그 연구실에서의 논문에 집중하도록 한다. 본인의 연구 결과와 다른 결론을 내리고 있는 연구라고 해서 인용을 기피해서는 안된다. 이런 '선택적인 인용'은 리뷰어의 눈에 금방 뜨일 것이며 이로 인해 신뢰를 잃게 될 것이기 때문이다. 그리고 기존 논문을 다룰

때는 편파성이 없어야 한다. 기존 연구들과 결과가 상반될 수 도 있는데, 이때는 자신의 연구의 디자인이나 특성을 기존 연구들과 비교하면서 그 차이를 설명해주는 것이 바람직하다.

시사점

본인이 얻은 연구결과가 임상진료의 방식을 바꾸게 할 가능성이 있다면 반드시 이를 서술해야 한다. 하지만 실제 대부분의 연구자들은 그러한 정도의 연구를 하는 것이 아니기 때문에 자신의 연구결과의 중요성을 너무 과장해서는 안될 것이다. 제한된 지식 영역에서 단지 작은 기여를 할 정도이겠지만, 당신의 연구가 어떠한 임상적 의의가 있는지를 언급하는 것은 중요하다. 새로운 진전이 없다면 그 연구는 가치가 거의 없음을 시사하는 것이다. 만약 저자의 연구가 임상연구가 아닐 때에는 연구결론에 따른 과학적 시사점을 적어주는 것이 바람직하다.

추후 연구방향

본인의 연구결과와 기존의 연구들을 비교하여 자신의 연구의 임상적, 과학적 의의를 충분히 다루었다면 이제 추후에 이루어져야 할 연구방향을 제안할 필요가 있다. 어떤 에디터들은 이러한 제안을 싫어하는 경우도 있으며 심지어 이 단락이 삭제되는 것을 보기도 할 것이다. 하지만 이러한 부분이 미래의 연구에 대한 많은 아이디어를 제공해주기 때문에 이를 흥미로워하는 독자들도 많이 있다. 그렇지만 본인의 좋은 아이디어를 자랑하기에 앞서 그 연구를 먼저 시작해두라고 권하고 싶다. 그렇지 않으면 다른 연구자들이 먼저 그 연구를 발표하는 사태가 생길 수도 있기 때문이다. 만일 앞으로 그러한 연구를 할 의도가 없다면 고찰에 제시하는 이 부분은 향후 연구의 우선권을 주장하는데 유용하게 쓰일 수 있다.

결론

논문의 고찰 부분은 일반적으로 연구의 주된 발견에 대한 결론을 간결하게 담은 단락으로 마무리한다. 하지만 이 부분이 빠지거나 에디터에 의해 생략되는 경우가 점점 많아지는데 이는 저자들이 초록이나 결과 또는 고찰의 첫 부분에 서술한 이야기들을 단순히 반복하는 경향이 있기 때문이다. 많은 저자들은 아직도 이러한 방식의 고찰 서술을 선호하는데 그럴 경우 앞에서 언급했던 문장들을 그대로 반복하는 일이 없도록 신경을 쓰는 것이 중요하다.

감사의 글

많은 학술지는 연구비의 출처와 이해관계를 논문의 시작 부분, 심지어 타이틀 페이지에 명시해줄 것을 바란다. 그러나 이와 관련한 지침이 명확하지 않으면 이 부분은 감사의 글에서 언급되어야 한다. 연구비 수여기관을 정확히 표기해야 하며 상업적인 연관성이 있다면 이를 기입해야만 한다. 본인의 연구가 현재 혹은 이전의 상업적 이해관계에 의해 영향을 받았는지 확실치 않다면 관련된 모든 단체를 공개하고 에디터에게 무엇을 포함할지 결정하도록 하면 된다.

또한 연구를 진행하는데 도움을 주었으나 저자기준을 충족하지 못한 동료들도 언급하여야 한다(리차드 호톤이 쓴 7장 참조). 예를 들면 의대 동료, 기술자들, 연구간호사들, 통계학자들이 있으며 논문을 투고하기 전에 미리 동의서를 받아야 한다. 하지만 학과장같은 사람에게 잘 보이려는 '선물용 감사의 글'은 삼가 하도록 한다.

마지막으로 하고 싶은 말이 있다면 논문이 최종적으로 통과되는데는 리뷰어나 에디터가 많은 노력을 했음에도 감사의 글에 언급되지 않는 것은 섭섭하다는 것이다!

제6장 제목, 초록, 그리고 저자

케빈 W. 에바

캐나다, 밴쿠버, 브리티시 컬럼비아 의과대학

이 장은 특별히 더 주의 깊게 읽어주길 바란다. 이 장은 이 책에서 가장 중요한 부분이기 때문이다.

불행히도 이 장의 주제는 저자인 나와 아무런 관계가 없다. 사실은 이 책을 공동 집필한 다른 동료들과 비교해볼 때, 이 책의 가장 중요한 부분을 나에게 맡겼다는 사실이 조금 의아하기도 하다. 하지만 나는 이 지면을 빌려 학술논문에서 가장 짧은 구성요소인 이 부분이 사실은 가장 중요한 요소라는 점을 절대적 확신을 가지고 말하고 싶다. 그 이유는 효과적인 제목이나 초록을 쓰지 못한다면 사실상 논문의 나머지 부분을 쓰는데 심혈을 기울일 필요가 사라져 버리기 때문이다.

투고 전에 원고의 제목과 초록은 저자의 생각을 집중적으로 잘 드러낼 수 있도록 세련되게 처리해야 하며 이는 전체 집필과정에 대단히 중요한 영향을 미치게 된다. 투고된 원고에서 제목과 초록은 리뷰어들과 에디터들에게 엄청난 정보를 전달하게 된다. 이것으로 인해 리뷰어들과 에디터들은 그들이 받은 논문이 얼마나 중요한 논문이며 일목요연한지 엄격한 방법으로 수행되었는지 시기적절하며 명백한 정보가 담긴 논문이 될 수 있는지 가늠할 수 있기 때문이다.

출판 후에 제목과 초록은 영화의 예고편 같은 역할을 하며 그 자체로 중요한 한편의 논문이다. 그 이유는 첫째로 이 부분은 예비 독자들이 논문을 읽을지 말지에 대한 결정을 하는데 큰 영향을 미치기 때문이다. 다음으로 이 부분은 독자가 논문에 대해 가지게 될 인상의 정확도를 지배하고 그들의 이목을 끌어 실제 논문을 다운로드하여 끝까지 읽을지를 결정하게 만든다[1]. 이 모든 구성요소 하나하나가 해당 연구가 얼마나 영향력있는 연구가 될 것인지에 대한 결정적 요소가 된다.

이 장에서는 제목과 초록에 나와야 하는 내용에 대해 검토하고 문체에 대해 의논해보며 제목과 초록을 어떻게 창작할지에 대한 조언을 줄 것이다. 누가 저자로 포함 되어야 할지 서술할 것이며 학술논문의 핵심적인 부분을 개선하기 위해 저자들과 타인들을 어떻게 활용할지 기술할 것이다. 비록 이 챕터의 저자인 내가 1년에 평균 1,500개의 초록을 공식적으로 검토하는 일을 맡고 있는 사람이지만 이 장은 단지 한 명의 에디터 관점에서 쓰였음을 명심하라고 말하고 싶다. 초록을 쓰는 법에 대한 정확한 정답은 없으며 논문을 초록으로 요약하는 방법이 수없이 많이 있는만큼 그에 대한 자료도 풍부하다[2, 3]. 그러므로 본 저자는 이 장의 내용이 논문을 쓰는 저자 본인의 문체를 발견하고 피해야 할 덫이 무엇인지 아는데 있어 일말의 도움이 되기를 바랄 뿐이다.

초록과 제목에 어떤 정보가 들어가야 하는가?

우선 지루한 내용부터 짚고 넘어가자. 위의 질문에 대한 답은 '학술지가 제시하는 논문투고지침을 지키는 것'이라고 말할 수 있다. 학술지마다 스타일이 다르므로 본인이 원하는 학술지의 요구를 충족하는 것은 저자의 책임이다. 논문을 쓰기 전 투고하려는 학술지를 결정하고, 웹사이트를 방문하여 논문투고안내를 읽어보고(**표 6.1 참조**) 초록과 원고 글자수의 제한이 어느 정도인지, 초록에 특정한 형식이 있는지, 형식이 있다면 부제를 사용해도 되는지 파악하도록 한다. 학술지의 최신호를 샅샅이 읽고 원고들을 훑어보며 제목과 초록을 살펴보면서 해당 학술지의 기본적인 스타일이 무엇인지 파악하는 것이 중요하다. 저자가 논문에서 다루고자 하는 주제와 비슷한 주제를 다룬 논문이 있다면 특히 유용할 것이다. 그러나 다른 저자들의 문장을 그대로 배껴 쓰거나 그들의 데이터를 자신의 논문에 살짝 바꾸어 사용하는 유혹에는 빠지지 말아야 한다. 대부분의 학술지들은 논문표절탐지 프로그램을 사용하고 있으므로 본문에서 남의 것을 빌려온 부분이 있다면 금방 탄로난다는 것을 잊지 말

표 6.1   초록의 요건 및 특수한 변동사항에 관한 지침의 링크들

BMJ('구조화된 초록'을 찾는다)
http://www.BMJ.com/about-BMJ/resources-authors/article-types/research

European Journal of Epidemiology('저자를 위한 안내'를 클릭 → '제목 페이지')
http://www.springer.com/public+health/journal/10654

JAMA
http://jama.ama-assn.org/site/misc/ifora.xhtml#Abstracts

Medical Education('원저'를 찾는다)
http://onlinelibrary.wiley.com/journal/10.1111/(ISSN)1365-923/homepage/ForAuthors.html

Psychological Science('출판된 논문의 종류'를 찾는다)
http://www.psychologicalscience.org/index.php/publications/journals/psychological_science/ps-submissions#PM

아야 한다.

앞에서도 말했지만, 학술지들 간에 보편적인 공통점이 존재하기는 한다. 초록에 어떤 정보를 넣어야 할지를 올바르게 이해하는 것은 초록의 주된 목적이 정보 전달에 있다는 점(표 6.2)을 인식하고 이를 정확히 수행하는데서 시작된다. 형식이 있건 없건 간에, 과학논문이든 비과학 논문이든 상관없이 초록은 논문의 전체 글을 읽음으로써 독자들이 무엇을 얻어갈 수 있는지에 대한 간결한 요약문을 제공해야 한다. 즉, '이 논문은 어떤 문제(혹은 연구질문)를 제기할 것이며 그것이 왜 중요한가?', '그 문제에 관한 데이터를 어떻게 수집하여 이야기할 것인가?', '어떤 사실을 알게 되었나?', '독자가 이 논문을 통해 읽을 수 있는 핵심 메시지는 무엇인가?' 하는 점을 알려주어야 한다.

대부분의 학술지가 150~300단어 내외의 초록을 선호하고 있으며 대부분의 전문 저자들과 에디터들은 한 문장을 15~20단어로 구성할 것을 추천한다. 그러기 위해서는 앞에서 제기된 질문들을 2개에서 4개 정도의 문장들로 적어야 한다. 공간을 낭비해서는 안 된다. 저자들이 하는 흔한 실수 중 하나는 도입문에 불필요한 문헌고찰을 하는 것인데 피험자가 어떻게 모집되었는가와 같은 중요하지 않은 세세한 정보들을 포함시키거나 연구 주제와 큰 관련이 없는 소소한 데이터(예를 들어서 인구통

표 6.2 초록에 포함해야 할 정보

해야할 것:
- 독자들이 이 논문에서 무엇을 기대할 수 있는지 확실히 알려주기.
- 독자들이 왜 이 논문을 끝까지 읽어야 하는지 알려주기.
- 연구 주제가 어떻게 도출되었는지, 그 연구 결과로부터 무엇을 기대할 수 있는지를 이해하는데 필요한 연구 방법의 세부사항 열거하기.
- 제기된 질문에 대한 직접적인 답을 주는 결과를 서술한다 (정량적 연구인 경우 실제 수치를 포함시켜서).
- 제일 중요한 메시지로 논문을 요약하기.

하지 말아야 할 것:
- 부차적인 문제로 흐르게 하기.
- 자신이 사용한 연구 방법을 모두 다 기술하기.
- 연구 결과의 첫 부분을 제시하기. 일반적으로 논문 본문의 결과란은 참가자의 정보를 제공한다. 이는 중요할 수 있지만 연구의 초점은 아니다.
- 상투적인 일반적 묘사문구를 나열하기 (예를 들어서, '우리가 얻은 연구결과에 대한 고찰로 끝맺음을 하겠다' 등).

계 정보나 응답률)를 제시하는 것이다. '더 많은 연구가 요구된다'와 결론은 일견 옳을 수 있으나 그런 진술을 굳이 하지 않더라도 대부분 그렇다고 생각하게 되므로 초록에 적기에는 성의 없어 보이거나 공허해 보일 수도 있다. 이 모든 사항들은 논문 본문에 포함할 경우 매우 중요하지만 초록에서는 가장 중요한 세부사항들에만 집중할 필요가 있다. 만약 이러한 요구들이 벅차지 않다면 제목을 정할 때는 핵심 메시지와 관련하여 선택과 집중의 필요성이 더욱 극대화되므로 이 부분에 대해서는 다음 섹션에 더 다뤄보도록 하자.

제목과 초록은 어떻게 써야 하는가?

정보를 전달하는 것도 중요하지만 초록의 또 다른 주요한 목적은 논문을 광고하는데 있다(표 6.3 참조). 모순처럼 들리겠지만, 과학은 객관적이고 이성적이며 데이터 자체가 가장 중요하다는 생각은 그릇된 것이다[4]. 발표되는 학술논문이 너무나도 많아서 연구자는 한평생 논문만 읽어도 그 속도를 따라잡지 못할 것이다[5]. 보통 몇 개의 학술지를 선택해 읽을 수 있으나 특정 주제에 대한 연구를 찾을 때는 검색 엔진을 이용하는 경우가 흔하다. 구글에서 '초록 작성하기'라고 검색을 하면 1억 오천만개의 결과가 순식간에 나온다. 또한 이를 다시 메드라인에서 검색하면 그에 못지 않게 빠른 속도로 2천3백여개의 논문들이 나오는데 대부분은 주제와 상관없는

표 6.3   제목과 초록을 통해 논문 홍보하기

해야할 것:
- 학술지의 포맷 및 길이 요구 조건을 따르기.
- 일반 영어로 쓰기.
- 동료들이 검색할 때 사용할만한 용어들 사용하기.
- 도발적이면서 흥미를 유도하도록 쓰기.
- 논문의 핵심을 짜내는데 집중하기.
- 자신의 연구가 기존 연구에서는 없었던 것이라는 점을 제시하기.
- 자신이 쓴 논문의 독자들이 누가 될지를 곰곰이 생각해보고 (즉 대상을 확실히 정하고) 이를 염두에 두고 쓰기.

하지 말아야 할 것:
- 해당 연구의 데이터로 이야기할 수 없는 것을 논하기.
- 특수용어를 광범위하게 사용하기.
- 제목을 지나치게 멋부려 쓰기. 재미있는 것은 좋으나 논문의 내용을 포함해주지는 못한다.

것들이다. 그러면 (검색어를 다듬는 것을 제외하고) 우리는 무엇을 해야 할까? 많은 경우 검색결과의 리스트 제목을 보며 관련 있는 것들을 추리게 되는데, 제목이 충분히 신뢰성을 주어야지만 그 초록을 보려고 해당 페이지를 찾게 된다.

　이러한 이유들 때문에 논문의 제목을 정하는 것은 그 무엇보다 중요하고 심혈을 기울여야 한다. 개인마다 선호하는 문체가 다르고 각 학술지마다 기대하는 바가 다르다고 하더라도, 반드시 자문해봐야 할 통상적인 질문들이 있다. 제목이 사람의 마음을 끌 수 있기를 바라는가 아니면 서술적이길 바라는가? 어떤 문제가 제기하고 싶은가? 연구의 가설을 바로 제시하기 원하는가? 혹은 자신의 논문이 지향하는 결론을 전달하긴 바라는가? 부제를 다는 것이 적절한가? 두 마리의 토끼를 잡을 욕심에 마음을 끄는 동시에 서술적인 정보 전달을 위하여 저자는 개인적으로 콜론을 사용할 것 같다. 하지만 이에 동의하지 않는 이도 있으며 논문의 핵심을 전달하기에는 제목이 지나치게 멋을 부린 느낌을 줄 수도 있다. 다음은 본 저자의 논문 제목들이다. 스스로 제목을 잘 정했다고 생각해서가 아니라 모든 논문에 동일한 문체를 쓸 필요가 없음을 보여주기 위해 인용하려고 한다. 즉, 맥락이 중요한 것이다.

- 의학교육에서의 진단오류: 바로잡아야 할 문제들
- 학생의 학습 목표를 유발하는데 가장 큰 영향을 미치는 개인적 혹은 외부적 요인은 무엇인가?
- 괜찮은 남자들은 다 임자가 있는가? 인간의 배우자 선택에 대한 간접적 고찰
- 철회하지 않는 것이 대세: 의사에게 진단을 번복하게 하는 관련 요인들
- '다시는 미식축구를 하지 않겠다.' 등 자기평가의 허위성

　다시 말하지만 이것을 제시한 이유는 자신이 쓰는 논문의 대상을 항상 염두에 두고 자신만의 문제를 찾아야 한다는 것을 강조하기 위해서이다. 일부러 독자층을 제한하고 싶은 것이 아니라면 그 분야에 속한 사람들만 익숙할 특수용어를 제목과 초록에 사용하는 일은 피해야 한다. 그러나 이와 동시에 학술논문에 흔히 사용되는 용어와 문구를 넣어 관련 분야의 연구자들이 검색할 때 검색엔진에 논문이 감지될 가능성도 증가시켜야 한다. 독자들이 누구인지 (혹은 예비 독자들을) 항상 유념해두는 것은 저자가 전달하려는 메시지의 핵심을 파악하는 것만큼 중요하다. 본인도 때로는 논문을 완성한 후에 제목을 짓는 경우도 있지만 제목을 먼저 정하고 나서 논문의 나머지 부분을 집중적으로 적어나가는 것이 자연스러운 경우도 많다. 제목과 초록 중 어느 쪽을 먼저 적든지 간에 적절한 초록을 쓰는 작업이란 자신의 연구에서 가장 핵심이 되는 주된 요점을 몇 줄의 문장으로 줄이고, 그 정보를 함축하여 단 한 줄의

아이디어로 축소해 그 문구가 정보를 주고, 이목을 사로잡으며 접근 가능한 문구가 되도록 다듬는 과정이다.

저자 자격 문제

과학저술과 관련 없는 이들로서는 초록처럼 짧은 글(가장 극단적인 예로, 본문 없이 발표된 초록)에 다수의 저자가 열거되는 사실이 이상하게 보일 것이다. 초록의 글자 수보다 저자 목록의 글자 수가 더 많은 경우도 있다. 과학 분야에 몸담고 있는 이들은 저자표기가 반드시 원고를 작성한 사람의 경우와 꼭 부합하지는 않는다는 사실을 알고 있다. 오히려 저자표기는 해당연구 프로젝트나 아이디어를 내는데 일조한 사람들과 일치한다고 할 수 있다.

논문에 어떤 기여를 해야 저자가 될 수 있을 정도로 실질적이고 충분한 역할을 했다고 평가될지를 판단하는 것은 시간이 걸리므로, 이 부분은 종종 상당한 혼란과 분쟁을 발생시킨다. 당연히 저자표기가 되어야 할 이가 제외되는 실수도 있으며, 그 공이 엉뚱한 사람에게 돌아가기도 하고, 기여한 이들의 경력에 도움이 되기는 커녕 서로 간의 협력관계가 무산될 정도로 사적 관계를 망치기도 한다. 저자의 자격이 없는 이들을 포함하는 문제로 인하여 연구비 문제와 논문소송의 책임 등 복잡한 문제가 발생할 수 있다.

'의학저널 에디터 국제위원회(International Committee of Medical Journal Editors, ICMJE)'[6]와 기타 협회에서 동의한 저자표기의 판단 기준이 있는데 이는 장의 후반부에서 다시 다루도록 하겠다. 하지만 지금으로서는 일단 저자의 연구결과를 논문화하는 것이 결정되면 자신이 속한 연구팀과 저자표기에 대해서 바로 의논하는 것이 중요하며 ICMJE의 기준은 반드시 따라야 하므로 팀의 구성원들이 한 명도 빠짐없이 이를 확실히 숙지해야 한다고 말하겠다. 기여와 감사의 글은 연구에 기여했지만 저자 자격은 안되는 이들을 인정해주는 대안이다. 간행물 윤리위원회의 알버트와 와그너는 비윤리적인 저자표기에 대한 지침을 규정하였고 문제의 소지를 줄이는 방법과 함께 문제 발생시 대처법에 대한 좋은 조언들을 내놓았다[7].

제목과 초록은 어떻게 개선될 수 있는가?

실수를 범하면 안된다. 즉 다른 기술과 마찬가지로 초록 작성은 힘든 작업이며 연습이 필요하다. 본 저자는 이 짧은 장을 통해 초록을 잘 쓰는 방법을 조언하려고 노력했다. 이러한 조언들과 피해야 할 함정을 쉽게 찾아볼 수 있도록 **표 6.4**에 요약해 두었다. 그러나 이 장을 마치면서 제목과 초록을 작성할 때 개선할 수 있는 3가지의 추가적인 제안을 더 소개하려 한다.

1. 계획한다. 어떤 메시지를 전달하고 싶은지와 그 메시지를 효과적으로 최소한의

단어를 사용하여 어떻게 전달할지를 장시간 고민하는 것은 글을 쓰는 과정과 비교하면 소비하는 시간이 많으므로 비생산적으로 느껴질 수도 있을 것이다. 그러나 계획하는데 들어가는 시간이 결국 본격적인 논문 작성에 있어서 그만큼의 시간을 아끼게 해줄 것이다. 시작하기 전에 정확하게 윤곽이나 마인드맵을 작성해 두면 핵심 메시지와 그 메시지의 중심을 파악하는데 도움이 될 것이다. 그러한 정보는 논문을 준비하는 이로 하여금 전체 논문을 정확하게 암시하는 간결하고 유기적인 초록을 쓰는데 귀중한 자산이 된다.

2. 쓰고 다시 고쳐 쓰고, 잠시 쉰 후 다시 고쳐 쓴다. 작문이란 되풀이되는 과정으로 고민을 거듭할수록 더 많은 아이디어가 생겨난다. 5개 또는 6개의 개성 있는 제목을 일상적으로 씀으로써 그것들을 비교하고 대조해 본 후에 가장 최상의 것을 선택하고 세련화할 수 있는 여지가 생긴다. 유사한 이야기지만, 초록이 짧다고 해서 금세 쓸 수 있는 것은 아니다. 우선 단어선택이나 길이에 개의치 말고 종이에 떠오른 아이디어들을 적고 아이디어들 사이의 흐름과 연결관계를 고려해본 후에 문장을 다듬어야 한다. 불필요한 단어를 삭제하고 특수용어가 들어갔는지 유심히 찾아보도록 하며, 핵심 문구가 확실히 포함되어 있는지 확인해야 한다. 초록을 한동안 치워두고 (1주 이상이 좋음) 다시 읽었을 때 여전히 유창하게 느껴지고 핵심을 정확하게 짚는지를 확인한 후에 세련되게 고쳐쓰는 과정을 다시

표 6.4   초록과 제목의 개선을 위한 조언

- 학술지의 논문투고안내에 더 나아가서 투고하고자 하는 학술지의 출판된 논문을 찾아서 학술지가 원하는 요구조건을 주시한다.
- 제목과 초록은 여러 개를 써서 어떤 것이 자신이 원하는 방식과 논문의 기준과 맞아떨어지는 것인지 찾는다.
- 자신이 가장 편하게 느껴지는 문체를 찾아내고 다듬기 위해 찬찬히 소리 내 여러 번 읽어본다.
- 자신의 논문을 정독하면서 결정적인 문장을 형광칠한 후 핵심 세부사항(오직 핵심 세부사항만이)이 초록에 포함되어 있는지를 확인한다.
- 투고 마감 기간 안에 일정을 잘 정한다. 초록의 초안을 쓴 후에 다른 사람들에게는 초록이 어떤 느낌이 들지 이해하기 위해 초록을 잠시 덮어둘 시간적 여유가 필요하다.
- 다양한 배경과 여러 수준의 전문성을 갖춘 이들에게 자신이 쓴 초록과 제목을 보여주며 의견을 요청하여 많은 이들의 지혜를 활용한다. 또한, 그들의 피드백을 바탕으로 수정할 수 있는 시간적 여유를 가지도록 미리 서두른다.

반복한다.

3. 동료들에게 검토를 부탁한다. 학술지나 학회에 초록이나 논문을 투고하기 전에 신뢰가 두터운 동료들과 가능한 한 많이 공유하도록 한다. 저자권리를 주장하기 위해서는 자신이 속한 팀의 구성원 모두가 빠짐없이 이를 읽고 비평을 해야 할 필요가 있다. 그러나 연구참여자들은 본인이 이해한 수준의 내용 이상을 논평하기 어려우므로 외부인들에게 검토를 요청하는 것도 종종 도움이 될 수 있다. 동료들의 의견이 엇갈릴 수도 있으나 그 의견들로 인하여 주의를 기울여야 할 약점이 드러나기도 할 것이다[8]. 동료로서 검토를 해준다고 해서 저자자격이 주어지는 것은 아니지만, 타인의 연구를 구조적으로 비평해주는 일은 초록의 어느 부분이 문제를 일으키는지를 발견하고 자신에게 편한 스타일을 개발하게 해주는 아주 좋은 방법이다.

요약하자면 단지 초록과 제목을 잘 쓰는 것만으로 논문이 통과되지는 않지만, 논문의 이 짧은 부분을 형편없이 쓴다면 절대로 본인의 연구 가치를 제대로 평가받지 못할 것이다. 따라서 지금까지 한 조언을 문자 그대로 받아들이는 건 곤란하지만 '논문의 다른 부분에 공을 들인 만큼 초록과 제목에도 공을 들여라'라는 조언을 다시 한 번 말하고 싶다. 이 부분도 그만큼 중요하기 때문이다.

참고문헌

1. Winker MA. The need for concrete improvement in abstract quality. JAMA 1999;281:1129–30.

2. Wager E. Getting research published:an A to Z of publication strategy. Oxford:Radcliffe Publishing Ltd, 2005.

3. Vrijhoef HJM, Steuten LMG. How to write an abstract. Eur Diabetes Nurs 2007;4:124–7.

4. Chalmers AF. What is this thing called science? Cambridge, MA:Hackett Publishing Company, Inc., 1999.

5. Jinha AE . Article 50 million:an estimate of the number of scholarly numbers in existence. Learn Publ 2010;23:258–63.

6. International Committee of Medical Journal Editors. Uniform requirements for manuscripts submitted to biomedical journals:ethical considerations in the conduct and reporting of research:authorship and contributorship. 2009. Available at:http:// www.icmje.org/ ethical_1author.html (accessed 25 July 2012).

7. Albert T, Wager E. How to handle authorship disputes:a guide for new researchers. The COPE Report 2003, 32–4. Available at:http:// publicationethics.org/ files/ 2003pdf12. pdf (accessed 25 July 2012).

8. Eva KW. The reviewer is always right:peer review of research in Medical Education. Med Educ 2009;43:2–4.

제7장　누가 저자가 되어야 하는가?

리차드 호튼

영국 런던 'Lancet' 소속

안타깝게도 이 질문에 답을 하기는 불가능하다. 15년 전이라면 본 저자는 자신 있게 의학저널 에디터들을 위한 국제 위원회(다른 명칭은 '밴쿠버 그룹')가 제공하는 기본 정의를 언급해줄 수 있었을 것이다(**표 7.1**)[1]. 그 당시에는 누가 논문의 저자가 될 것인가에 대한 기준(또는 밴쿠버 그룹에서 인정하는)이 명확했기 때문에 모든 것이 분명했다.

그 당시에는 그럴 필요가 있었다. 저자 자격은 학자의 삶에 대한 상징과도 같은 것이었기 때문이다. 논문이 자주 인용될수록 한 연구자가 그 분야에서 어느 정도의 공헌을 했는지 알 수 있었으며 직업적 성공과도 연결이 되었다. 논문의 저자 자격은 학술적 가치를 평가하거나 수상을 할 때도 중요한 기준이 되었다.

이러한 평화로움이 망가지기 이전까지만해도 대부분의 생물의학저널들은 밴쿠버 그룹의 규정을 준수하고 있었다는 점을 강조하고 싶다[2]. 저널의 에디터들은 벤쿠버 그룹의 규정에 맞게 작성된 논문들을 요구한다. 다른 말로 하자면, 서한이나 별도로 빈 서명란을 넣은 공문을 통해 제출된 논문이 밴쿠버 그룹의 규정을 충족하고 있는지를 확인한다는 뜻이다. 하지만 사실은 저자 본인이나 공동저자나 사실은 규정에 맞지 않은 부분이 있음에도 그렇다고 대답하는 경우도 많다. 저자 자격에 대해서 확인하고 서명을 첨부하여 보내는 일은 논문을 쓰다보면 당연히 하게되는 일이라 그 의미에 대해서 심각하게 생각해보지 않았을 것이다.

그러나 요즘은 저자자격에 관한 학술지 에디터들의 확신도 옛말이 되었고 그 기준에 대해서 다들 흔쾌히 합의하던 시절도 지나갔다. 1996년 영국 노팅엄에서 열렸던 생물의학 분야의 저자 자격에 대한 회의를 통해[3] 처음은 *Lancet*[4]이 그 다음은 *BMJ*[5]가 (그 곳 에디터들이 협회에 소속되어 있는데도 불구하고) 밴쿠버 그룹 규정을 따르지 않았다. 그 대신 Fotion과 Conrad[6]를 시작으로 Drummond Rennie와 그의 동료들의[7, 8] 기여로 공헌의 개념이 처음으로 소개되었다. 저자 자격의 전통적인 개념의 이러한 변화는 최근 학술계 구성에 나타난 가장 중요한 변동이며 현대과학의 전체 구조를 뒤흔들 만큼 그 잠재력이 크다. 그 이유는 무엇인가? 그리고 단순히 논문이 출판되기를 원하는 당신과 같은 사람들에게 이것이 시사하는 바는 무엇인가?

우선 대부분의 연구자들은 에디터가 강조하는 저자자격에 대한 기준을 크게 고려하지 않으며 논문의 저자들도 밴쿠버 그룹의 규정에 미달하는 경우가 흔하다. 예를 들어서, Shapiro 등[9]는 그들이 조사한 '저자들'의 4분의 1은 발표된 연구에 관련해서 아무런 기여도 하지 않았거나 단지 한 가지 측면만 충족했을 뿐이었다는 사실을 밝혀냈다. Eastwood 등[10]의 연구에 의하면 그들이 설문 조사한 미국에서 포닥 과정에 있는 이들의 3분의 1이 자격이 없는 이들이라도 그들의 이름을 포함함으로써 논문이 통과될 가능성이 커진다면 기꺼이 저자로 올려놓겠다고 응답하였다. 저자 자격의 의미에 대해 이렇게 냉소주의가 만연한 것을 보면, 아무도 준수하지 않는 것처

표 7.1   밴쿠버 그룹이 인정하는 논문의 저자 기준

저자로 지정된 사람은 저자 자격을 갖춰야 한다. 각 저자는 논문에 대외적 책임을 질 정도로 연구에 충분히 참여했어야 한다.

저자 자격은 다음과 같은 사항에 상당한 기여를 근거로 주어져야 한다. (1) 데이터의 개념과 디자인 혹은 분석과 해석 (2) 중요한 지적 내용을 담은 논문의 초안을 작성하고 비평적으로 수정 (3) 최종 수정 판이 발표되도록 승인.

위의 세가지 조건은 반드시 지켜져야만 한다. 오직 연구비만을 따왔거나 데이터 수집만 도왔던 사람은 논문의 저자 자격을 갖기에 충분하지 않다. 연구팀에서 전반적인 지도감독만을 한 사람도 저자 자격을 갖기 어렵다. 연구 결론에 중요한 논문의 어떠한 부분이라도 최소한 1명 이상의 저자가 책임질 수 있어야 한다.

에디터는 저자들에게 각자 논문에서 어떤 기여를 하였는지 물어볼 수 있으며 이 정보는 발표되어도 된다.

여러 기관이 동시에 관여한 실험이 증가하면서 공동 저자도 증가하는 추세이다. 저자라고 호칭을 얻은 모든 구성원은, 제목 밑에 저자란에 자리 잡든 각주에 나온 이름이든 상관없이, 위에 열거한 저자 자격 기준을 모두 충족시킨 사람이어야 한다. 위의 기준을 충족하지 못한 구성원들은 그들의 동의를 얻어 감사의 글이나 별첨에 올린다.

저자의 순서는 공동저자 간의 합일된 결정이어야 한다. 그 순서는 여러 방식으로 정해지기 때문에 저자들에 의해 언급되지 않는 이상 순서의 의미가 추측되어서는 안된다. 저자가 저자란의 순서를 각주에 설명하고 싶어 할 수도 있다. 순서를 정할 때에는 열거되는 저자의 수를 제한하는 학술지도 다수 있다는 점을 유념해야 하는데, 미국 국립 의학도서관은 25명 이상의 저자가 존재할 경우에 처음 24명의 저자와 마지막 저자를 '메드라인'에 기재한다.

럼 보이는 규정에 집착하는 것이 오히려 바보스러운 것 같다.

그리고 여기 저자 자격에 대해 우리가 갖고 있던 기존의 믿음에 의문을 가져야 하는 더욱 민감한 두 번째 이유가 있다. 최근에 벌어진 과학사기의 사례들[11, 12]을 살펴보면, 저자 자격의 다른 면, 즉 저자의 책임이 자주 간과되고 있다는 사실이 드러났다. 연구자들이 저자 이름을 적는 부분에 일단 이름을 올리면 연구의 어떤 측면이 문제가 될 경우에 누가 무엇을 했는지 분간하는 것이 어렵게 된다. 따라서 연구 프로젝트에서 연구책임자는 데이터의 위조나 허위행위가 발생하지 않도록 모든 연구자들의 역할을 정확하고 분명하게 배정해야 한다.

앞서 이야기한 사례 때문에, 이제 우리는 다음의 2가지 방법을 고려해 보아야 할 것이다. 첫째로 밴쿠버 그룹 규정에 부합하든 그렇지 않든, 연구자들은 저자란에 자신의 이름을 올리고 싶어하는 사람은 이름을 올릴 수 있는 자유를 주어야 한다. 둘째로 에디터는 저자들이 기여한 부분에 대해 질문해야 하며 그들의 공여를 분명한 서술로 공개해야 한다. 무시되는 경직된 규정은 강요할 수 없으며 버려야 한다. 이것이 바로 *Lancet*[4]과 *BMJ*[5]가 세운 새로운 원칙들이다. *BMJ*는 *Lancet*보다 한 단계 더 나아가서 논문에 기여한 이들 각 개인에게 전체 연구의 무결성에 대한 전반적인 책임을 질 수 있는 약 2명의 보증인을 세우라는 부탁까지 한다.

공헌 자격에 대한 반응은 가지각색이다. 본 저자가 속한 *Lancet*에서 조사해본 결과 다수의 저자들이 연구에 공헌한 사람들이 논문의 마지막 부분에 인용되어야 한다는 점을 흔쾌히 받아들인다는 점을 알아냈다(**표 7.2**). 그러나 일부 저자들은 비윤리적인 관행 즉, 실제 기여한 바도 없이 유령처럼 저자에 이름을 자리잡는 일들이 쉽사리 근절되지 않을것이라는 우려를 비췄다[13].

여전히 기타 학술지들은 '공헌자' 부분을 선택할 가능성이 높다. 공헌자의 목록이

표 7.2 공헌자 자격의 예

저자 이름을 적는 행: A.B.C.D.E.F.G.H

공헌자들: A는 실험을 수행하였으며 자료 분석에 도움을 주었고 논문을 썼다. B는 실험 디자인, 수행 그리고 자료 분석에 관련하였으며 논문작성에 기여했다. C는 실험의 실제 실험 수행, 자료 관리와 분석, 에세이의 품질 보증에 관련했다. D는 실험의 실제 실험 수행, 자료 기입, 관리, 분석 및 품질 보증에 관련했다. E는 실험의 실제 수행과 자료 관리 특히 분석 면을 강조하며 관련했다. F와 G는 디자인에 관련했고 논문작성에 기여했다. H는 디자인, 수행, 분석 및 생화학적인 해석에 관여했으며 논문작성에 기여했다.

보증인: A와 H

항상 인정되는것은 아니지만 그것을 완전히 공개하고 책임을 지게하는 것은 매우 중
요하다[14]. 어느 학술지가 전통적인 밴쿠버 그룹 규정에 부합하는 저자를 선호하는
지 어떤 학술지가 공헌자 개념을 선호하는지 알고 있어야 한다. 그러나 실제적으로 이
전 그룹이 정해놓은 규칙은 임의로 무시해도 된다. 모두 다 그렇게 하고 있다.

논문의 '감사의 글' 부분도 쉬운 규칙이지만 의외로 어려운 문제가 도사리고 있다.
감사할 이들과 저자란에 포함해야 할 연구자들을 구분해 내기가 어려울 수도 있기
때문이다. 짐작했겠지만 밴쿠버 그룹에서 감사의 글에 대한 지침도 내놓았다(**표 7.3**).
하지만 공헌자의 목록과 감사의 글은 결국에는 합쳐질 가능성이 크기 때문에 결국
연구 기여에 따라 대상자를 정하는 문제는 재조정 될 것이다[15].

읽으면서 혼란스럽겠지만 누가 저자인가, 공헌자인가, 보증인이나 혹은 감사해야
할 사람인지를 정하는 데는 단 한가지 규칙만 명심하면 된다. 연구를 시작하기 전에
누가 어떤 역할을 맡을지를 미리 결정해두는 것이다. 연구가 끝나고 논문이 완성된
후 누가 저자가 될 것인지를 놓고 힘겨루기가 일어날 시점에 이러한 저자자격에 대
한 분쟁이 발생한다. 따라서 준비단계에서 예방하는 것이 결국에는 훨씬 좋은 결과
를 가져올 수 있을 것이다.

표 7.3   벤쿠버 그룹이 제시하는 감사의 글

논문의 적절한 위치(타이틀 페이지의 각주 혹은 본문의 별첨부분 등이며 투고할
학술지의 요구사항을 참조할 것)에 배정한다. 한두 문장을 통해 명시해야 하는 것은
(1) 저자 자격에는 못 미치지만 인정할만한 기여, 예를 들어서, 학과장의 전반적인 지
원이 해당되겠으며 (2) 기술적인 도움에 대한 감사 (3) 재정적과 물질적인 지원에 대
한 감사인데, 그 지원의 본질을 명시해야 하며 (4) 이해관계의 상충을 일으킬 수 있
는 관계 또한 표기해야 한다.

연구에 지적 도움을 주었으나 그들의 기여가 저자 자격을 정당화 할 수 없는 이들
의 이름을 명시할 수 있으며 그들의 역할과 공헌이 언급될 수 있다. 예를 들어서, '과
학 고문', '연구 제안서의 결정적인 검토자', '자료 수집원' 혹은 '임상시험 참여자' 등
이다. 자신의 이름이 올라가는 것에 대해 이들로부터 반드시 동의를 구해야만 한다.
논문의 감사의 글에 이름이 올라간 이들로부터 서면 동의서를 받는 것은 저자의 책
임인데, 이는 그들이 데이터나 연구결과를 지지하는 것으로 당연히 추측되기 때문
이다.

기술적인 도움에 대한 감사의 글은 다른 기여에 대한 감사의 글과 따로 분리한 문
단에 올려야 한다.

참고문헌

1. International Committee of Medical Journal Editors. Uniform requirements for manuscripts submitted to biomedical journals. Ann Intern Med 1997;126:36–47.

2. Parmley WW. Authorship:taking the high road. J Am Coll Cardiol 1997;29:702.

3. Horton R, Smith R. Signing up for authorship. Lancet 1996;347:780.

4. Horton R. The signature of responsibility. Lancet 1997;350:5–6.

5. Smith R. Authorship is dying:long live contributorship. BMJ 1997;315:686.

6. Fotion N, Conrad CC. Authorship and other credits. Ann Intern Med 1984;100:592–4.

7. Rennie D, Flanagin A. Authorship! Authorship! Guests, ghosts, grafters, and the two-sided coin. JAMA 1994;278:469–71.

8. Rennie D, Yank V, Emanuel L. When authorship fails:a proposal to make contributors accountable. JAMA 1997;278:579–85.

9. Shapiro SW, Wenger NS, Shapiro ME. The contributions of authors to multiauthored biomedical research papers. JAMA 1994;271:438–42.

10. Eastwood S, Derish P, Leash E, Ordway S. Ethical issues in biomedical research:perceptions and practices of postdoctoral research fellows responding to a survey. Sci Eng Ethics 1996;2:89–114.

11. Lock S. Lessons from the Pearce affair:handling scientific fraud. BMJ 1995;310:1547–8.

12. Marshall E. Fraud strikes top genome lab. Science 1996;274:908–10.

13. Greenfield B, Kaufman JL, Hueston WJ, Mainous AG, De Bakey L, DeBakey S. Authors vs contributors:accuracy, accountability , and responsibility. JAMA 1998;279:356–7.

14. Editorial. Games people play with authors' names. Nature 1997;387:831.

15. Horton R. The unmasked carnival of science. Lancet 1998;351:688–9.

제8장 참고문헌

사이몬 하웰[1] / 리즈 넬리[2]
영국, 리즈, 리즈 대학 마취학과 조교수[1] / 영국, 리즈, 리즈 대학 의학 사서[2]

서론

논문에서 참고문헌은 저자가 연구를 수행하는데 있어 토대가 되는 부분이다. 저자가 수행한 연구와 사용한 연구 방법을 정당화해주는 과학적 배경을 제공하며 그 연구가 어떻게 해석될지에 대한 맥락도 제공한다. 그러므로 연구가 다 끝난 후 뒤늦게 참고문헌을 수집해서는 안된다. 어떠한 연구 프로젝트이든지 간에 문헌을 검색하고 관련된 참고문헌을 수집하는 것이 그 시작점이 되어야 한다. 물론 다른 연구의 결과를 확인하기 위해서도 전적으로 필요하다. 연구 프로젝트에 수많은 시간과 노력을 기울였는데 저자가 발견한 결과가 선행연구에서 이미 수차례 확인된 사실임을 뒤늦게 알게 되는 것은 너무도 허망한 일이다. 어떤 경우에는 해당 연구가 전혀 새로울 것이 없는 단순한 사실을 반복해서 제시하면서 동시에 동물이나 자원자들 혹은 환자들을 대상으로 불필요하게 추가 시행되었다는 점에서 비윤리적이라는 비판을 받을 수도 있다.

문헌 검색

의학 및 과학분야 학술지의 전자도서 목록 데이터베이스로 인해 논문 검색의 형태가 바뀌었다. 이 데이터베이스 안에는 수백개가 넘는 학술지에 실린 수천 개의 문헌들이 담겨있다. 각 데이터베이스들은 더 간단하고 세련된 방식의 검색을 위하여 각각의 문헌들을 다양한 방식으로 분류하여 쉽게 찾을 수 있게 해준다. 이전에는 도서관에서 '인덱스 메디쿠스(*Index Medicus*)'의 거대한 양의 문서를 몇시간 파고들어야 찾을 수 있는 정보가 이제는 컴퓨터 앞에서 몇분을 보내는 것으로 해결된다. 그러나 이러한 검색의 속도와 범위는 너무도 대단해서 검색하는 이가 폭포수처럼 쏟아지는 검색결과 속에서 길을 잃을 수도 있다. 이런 강력한 시스템을 사용하기 위해서는 약간의 생각과 연습이 필요하다.

수많은 도서 목록의 데이터베이스는 의학 및 과학분야 학술지의 다양한 측면을 다루고 있으며 의학 연구자와 연관이 있을 수 있다. 아마도 가장 흔하게 사용되는 두 개의 사이트는 '메드라인(Medline)'과 'EMBASE'일 것이다. 메드라인은 미국 국립 의학도서관에서 운영하는 사이트로 약학, 간호학, 치의학, 수의학, 의료보험제도 그리고 기초연구를 다룬다. 1940년 중반부터의 논문을 시작으로 대략 5,400개의 학술지에 나온 천백만 개의 학술문헌을 수용하고 있다. Excerpta Medica database의 약자인 EMBASE는 Elsevier Science에서 운영하는 사이트인데, EMBASE에서 검색한 양의 약 30%가 메드라인에서도 나타나지만, EMBASE는 좀 더 유럽 중심적인 사이트이며 비영어권의 학술지를 검색하는데 더욱 유용하다. EMBASE는 정신과학, 약리학 그리고 의공학에 집중하고 있으므로 그 부분의 문헌을 찾는데 더욱 유용하다. 포괄적인 검색을 하기 위해서는 두 가지 데이터베이스를 전부 검색해야 하며 더 풍부한 자료 조사로 귀중한 정보를 획득할 수 있다. 임상연구 특히 임상시험이나 체계적 문헌고찰을 준비하는 이들은 '코크랜 라이브러리(Cochrane Library)'(http://www.thecochranelibrary.com)를 방문하는 것이 필수적인데, 그 이유는 코크랜 라이브러리의 핵심이 체계적 문헌 고찰의 데이터베이스이기 때문이다. 또한 임상시험과 경제성 평가 데이터베이스 코너를 포함한 수많은 귀중한 자원을 포함하고 있다.

다른 데이터베이스 또한 활용 가능하다(표 8.1). 이 중에, 'CINAHL'은 간호학과 동종의 건강 문헌들을 다루며, 'PsycINFO'는 정신의학과 심리학 문헌을 찾을 수 있는 유용한 관문이다. 그리고 'HMIC'는 건강관리과 관련된 주제를 검색할 때 유용한 자원이 될 수 있다. 그렇지만 사실 검색을 하다 보면 광범위하고 복잡한 자료에 압도당하기 쉽다. 따라서 앞에 소개한 주요 데이터베이스를 검색하는 일로 시작하는 것이 좋으며 좀 더 광범위하게 조사하는 게 필요하다고 생각한다면 의학 사서에게 자문을 구하도록 한다. 연구와 관련 있는 데이터베이스가 그 지역에 있는지 여부와 그것을 찾는 최선의 방법을 알려줄 것이다.

표 8.1　주요 데이터베이스
보완 대체의학 데이터베이스(Allied and Complementary Medicine Database, AMED), 응용사회과학 색인 및 논문초록(Applied Social Sciences Index and Abstracts, ASSIA), 영국 간호학 색인(British Nursing Index, BNI), 간호학 및 동종 건강 문헌의 총색인(Cumulative Index to Nursing and Allied Health Literature, CINAHL), 프로퀘스트 학위논문, 건강관리정보 컨소시엄(Health Management Information Consortium, HMIC), 팝라인(Popline, 인구 데이터베이스), PsycINFO(심리학 데이터베이스), 사회학 초록들, 톡스라인(Toxline, 독성학 데이터베이스)

다양한 데이터베이스는 수 많은 서로 다른 인터페이스를 갖고 있다. 가장 흔히 쓰이는 것으로는 PubMed와 OvidSP가 있다. 전자는 미국 국립 의학도서관이 관리하는 서비스를 통해 메드라인 데이터베이스의 무료 검색을 활용하게 해주는데 그 주소는 http://www.ncbi.nlm.nih.gov/entrez이다. PubMed가 인터넷에서 더 자유롭게 활용할 수 있고 OvidSP보다 더 사용자가 많으며 사용하기 편한 인터페이스이긴 하지만, 오직 단 한곳의 도서 목록 데이터베이스에만 접근이 가능하다. 이와 대조되게 OvidSP는 메드라인, EMBASE, PsycINFO를 포함한 넓은 범위의 도서 목록 데이터베이스에 접근할 수 있도록 해주는 상업기구이다. OvidSP를 통해 활용 가능한 정확한 데이터베이스는 자신이 속힌 기관이 얼마나 구독 허가를 받았는지에 따라 다르다. OvidSP의 사용자 인터페이스는 PubMed에서 제공하는 것보다 더 복잡하지만 심층적인 검색을 하도록 더 알맞게 고안된 강력한 도구이다. 자신이 속한 기관의 의학도서관 사서에게 어떤 데이터베이스가 활용 가능한지 그리고 어떻게 접속해야 하는지 문의하도록 한다.

이런 데이터베이스를 통해 기본적인 조사를 수행하는 일은 어렵지 않다. 사용자가 주어진 검색란 안에 검색어, 저자 이름, 혹은 논문제목을 입력한다. 이렇게 검색하더라도 원하는 검색결과가 나오지 않고 장황한 문헌의 목록만 나타날 수도 있다. 이는 수백개 이상의 문헌일 수 있으며 관련성이 아주 높은 문헌을 포함할 수 있지만 반대로 전혀 관련성이 없는 문헌도 포함될 수도 있다. 이러한 이유로 데이터베이스를 제대로 검색하는 법을 익혀두면 미래에 몇 배나 많은 시간을 절약하게 해줄 것이다. OvidSP 자체도 데이터베이스를 최대한으로 활용하는 법을 도움말 페이지에서 상세하게 제공하고 있다. PubMed 또한 도움말 페이지가 있으며 데이터베이스를 잘 활용하는 법을 전수하는 데 목적을 둔 일련의 교습 페이지를 제공하고 있다. 자신이 있는 곳의 의학도서관 사서로부터도 그러한 훈련과 지원을 받을 수 있다.

메드라인의 모든 논문은 의학 주제별 머리말 혹은 'MeSH' 용어로 색인되어 있고 15,000개 이상의 의학 주제 전체 범위를 망라한다. 대부분의 MeSH 용어는 역학이나 치료학처럼 본인이 검색을 하려는 특별히 흥미를 가진 주제와 관련된 부제가 있다. MeSH 용어를 이용한 검색이 일반적인 검색어 작업만 하는 것보다 훨씬 성공적이고 포괄적일 가능성이 높다. 하지만 가장 효과적인 검색을 노리는 이들에게는 이 둘을 병행하는 것을 강력히 권하고 싶다. PubMed는 MeSH 용어를 찾아주는 브라우저를 제공하므로 관련 용어를 확인하며 사용이 가능하며 OvidSP에서는 '맵핑' 기능이 사용자로 하여금 가장 적합한 제목을 찾는 데 도움을 준다. EMBASE도 이와 같이 유사한 세트의 주제명을 제공하는데, OvidSP에서 제공하는 '맵핑' 기능을 이용해서도 접속 가능하다. 자신의 검색에 어떤 MeSH 용어나 주제별 머리말이 관련되어 있는지 잘 알지 못한다면, 연관이 있을 거라고 생각되는 참고문헌을 확인하기 위한 데이터베이스를 사용하면 된다. 그 후 MeSH 분야의 기록을 살펴보고 그 참고문헌을 색인하는데 사용된 용어를 적어놓고 자신만의 전략을 짜기 위해 자신의 검색에서 그 머리말의 양을 늘려가면 된다.

OvidSP와 PubMed 둘 다 검색을 돕고 심층화할 수 있도록 최근 검색 기록 서비스를 제공한다. PubMed에 있는 '나의 NCBI' 기능과 OvidSP에 있는 '검색기록저장' 기능은 상세한 검색기록을 저장해주므로 나중에 확인할 수 있다. 또한, 등록해둔 검색 기준에 부합하는 새로운 문헌이 등록되면 이메일을 통해 이를 알려주는 시스템도 있는데 OvidSP에는 '자동알림' 기능을 통해 이러한 기능을 지원해준다. 이를 이용하면 새롭게 발표된 자료가 나올 때마다 바쁜 연구자가 직접 확인해야 하는 수고를 면하게 된다. 검색을 할 때 어떤 문헌들이 검색되어 나올지 규칙을 정하는 여러 다른 도구들이 존재한다. 예를 들어서 날짜 범위를 구체화할 수도 있고 결과로 나올 참고문헌의 형태를 선택할 수도 있으며(예를 들어서 종설이나 무작위배정 비교연구), 동물이나 인간을 상대로 한 실험만 검색할 수도 있다. 영어로 된 참고문헌만 검색하도록 제한하는 것 또한 가능하다.

이런 데이터베이스의 유용한 부분은 검색자가 주어진 문헌 안에서 똑같은 주제를 다루는 참고문헌을 찾을 수 있도록 해주는 기능이 있다는 점이다. PubMed의 경우 문헌검색을 하고 나면 참고문헌 아래 '관련된 문헌'이라는 명칭이 붙은 문헌의 목록들이 추가적으로 제시된다. 이 링크를 클릭하면 처음 찾아낸 인용에서 다룬 주제와 유사한 소재를 다룬 참조문헌들을 찾는 검색이 시작된다. OvidSP에서도 이와 유사한 기능을 찾아볼 수 있는데 바로 '유사 찾기' 기능이다. OvidSP는 또한 사용자로 하여금 원저를 언급한 참고문헌들을 찾을 수 있게 해주는데 이는 '인용된 논문 찾기' 기능을 사용하면 된다.

의학주제별 머리말과 일련의 검색어로 구성된 기존의 검색 전략을 제외하고 관심이 가는 분야의 명성이 높은 이들이 쓴 논문만 검색하는 방법도 유용하다. 메드라인을 통해 참고문헌을 찾으면 때로는 제목이 그 논문과 관련 있는 '코멘트 보기'와 링크가 접두어로 수반되는 것을 볼 수 있다. 그런 관련성은 그 논문을 해석하는데 있어 유용한 힌트가 될 수 있으며 관심이 가는 분야에서 현재 어떤 논쟁이 벌어지고 있는지 알려주는 표시가 될 수도 있다.

OvidSP와 PubMed 두 군데 모두에서는 검색된 참고문헌의 초록을 열람할 수 있다(초록이 있는 경우). 이를 온라인 상에서 대충 본 후 심층적인 조사를 위해 연관된 것들을 선택해야 한다. PubMed의 '클립보드' 기능은 더 상세한 검색이 시행되고 있을 때 선택한 참고문헌을 온라인에서 저장할 수 있게 해준다. 세부 검색 결과를 클립보드에 저장할 수 있는데 검색이 종료되면 이를 내려받거나 인쇄하거나 저장할 수 있다. OvidSP와 PubMed 둘 다 '보기', '저장하기', '인쇄하기' 혹은 '이메일로 보내기'

의 기능을 제공한다. 또한 참고문헌 관리 소프트웨어 프로그램에 복사할 수 있는 포맷으로 참고문헌을 저장하기를 원할 수도 있는데 이에 관해서는 아래에 나오는 참고문헌 관리하기 부분에서 다루도록 하겠다.

비록 도서 목록 데이터베이스가 엄청나게 강력하기는 해도 관련된 문헌을 찾는 유일한 방법은 아니다. 대부분의 전자 학술지들은 홈페이지에 검색 창을 갖고 있는데 이 부분에 관심 가는 주제를 자판으로 치면 연관된 가능성이 있는 논문 목록이 결과물로 나온다. 학술지가 무료로 제공되지 않는 한 전체 논문을 열람하는 것은 본인이 속한 기관의 구독 권한 수준에 따라 다를 것이다. 그리고 저자가 찾은 관련 문헌과 종설의 참고문헌 목록에 나온 인용도 간과해서는 안 된다.

첫 학술논문 검색을 마치고 관련 있는 참고문헌을 찾아낸 후에는 이를 정리하고 정독하도록 한다. 논문의 초록은 그 논문의 내용에 대한 정확한 짧은 예문이 되겠지만 항상 그런 것만은 아니다. *New Scientist* 지에 실린 한 연구에 의하면 인용 오류의 빈도가 점점 높아지고 있다고 한다[1, 2]. 연구에 따르면 인용의 78%가 이차 출처를 '복사 붙이기를 하였다'라고 한다. 그러므로 논문이 말하고자 하는 핵심을 알 수 있는 유일한 방법은 직접 읽어보는 수 밖에 없다!

문헌검색을 아무리 정교하게 하더라도 감당할 수 없을 정도로 많은 참고문헌이 나오는 경우도 있다. 이런 경우에는 그 주제에 대한 한두 건의 우수한 종설을 읽어보면 감이 올 것이다. 최근의 주된 연구흐름을 파악하고 자신이 찾은 참고문헌이 어떠한 맥락의 것들인지 알 수 있게 해주기 때문이다. 만약 조심스럽게 시행한 검색에서 많은 양의 참고문헌이 나온다면, 저자가 관심 있는 분야가 심오하며 널리 연구되고 있는 주제임을 알려주는 것이지 꼭 저자가 검색을 잘 하지 못해서 그런것이라 할 수는 없다. 만약 관련 문헌이 방대하면 전문적인 도움을 받는 것이 필수적이다.

참고문헌의 관리

문헌검색을 한번 시작하면, 그리 오래지 않아 상당히 많은 양의 문헌들을 모으게 될 것이다. 물론 책상의 한 모서리에 차곡차곡 쌓아 두면 손에 잡기는 쉽겠지만, 조만간 관리할 수 없게 되고 찾은 참고문헌이 영문도 모르게 다른 서류와 섞이거나 바닥에 떨어지고 쓰레기통에 들어가기도 할 것이다. 도서관 상호대출 제도를 통해 2주나 걸려 도착한 참고문헌이 어딘가로 사라져 버리는 것만큼 짜증이 나는 일도 없다. 따라서 단순하고 쉬운 방식으로 자료들을 정리하고 관리하는 것이 좋다. 한가지 방법은 논문을 저자 이름의 알파벳 순으로 정리하는 것이다. 또 하나의 대안은 논문을 연속적으로 번호를 매긴 후 알파벳 카드 색인 전자 참고문헌 관리 프로그램에 그 숫자를 기록해두는 것이다(아래 참조).

복사본을 관리하는 것보다 참고문헌을 관리하는 것이 훨씬 더 편리할 것이다. 각각의 참고문헌의 연관성을 알 필요가 있으며, 논문에 어떤 참고문헌을 인용했는지 이를 위해 어떤 참고문헌들이 함께 모여 저자의 참고 문헌 목록을 구성했는지도 알아야 한다. 전통적으로 저자들과 연구자들은 '카드 색인 시스템'을 이용해서 이를 수행해 왔다. 각각의 참고문헌에 색인을 통해 번호를 부여하고 이 카드 위에 써둔 번호를 논문에 인용을 할 때 사용하고 최종 참고 문헌 목록을 완성시키는 데도 쓴다. 이 시스템은 효과가 좋지만 많은 노동이 필요하며 많은 양의 참고문헌을 관리할 때는 성가실 수가 있다. 참고문헌 관리 프로그램의 출현은 이렇게 복잡한 참고문헌 관리를 훨씬 쉽게 만들어주었다. 다양한 종류의 소프트웨어 프로그램들이 있는데 가장 널리 쓰이는 제품은 'EndNote'와 'Reference Manager'이다. 이 두 제품 다 'Thomson Reuters' 사가 개발하였다.

어떤 제품을 사용할지를 결정할 때에는 자신의 워드프로세서 프로그램과 호환 가능한지를 꼭 확인하도록 한다. 그래야만 참고문헌 관리 프로그램과 워드 프로세서가 함께 작동하여 논문 본문에 인용논문을 삽입할 수 있고 참고 문헌 목록을 만들 수 있게 된다. 그리고 EMBASE, PubMed 그리고 기타 데이터베이스에서 참고문헌을 자신의 참고문헌 관리 프로그램으로 불러들일 수도 있다. 이 작업과 다른 작업은 아래에 나오는 글에서 다루었다. 동료들이 어떤 제품을 사용하는지를 알아두면, 그들로부터 도움과 지원을 받을 수 있을 것이다. 한두 제품의 경우에는 대리점의 지원과 라이센싱 계약도 가능하다. 그리고 도서관을 찾아가면 이러한 작업을 어떻게 처리해야 할지에 대한 교육과 문제해결에 대한 도움을 받을 수 있다.

참고문헌 관리 프로그램

전자 참고문헌 관리프로그램은 기본적으로 특정한 작업에 최적화된 전자 데이터베이스이다. 이러한 프로그램의 핵심은 참고문헌의 개인 라이브러리를 만들고 운영할 수 있도록 해주는 기능이다. 저장해둔 참고문헌의 목록을 볼 수 있으며 다양한 기준(제1저자 혹은 발표연도 등)에 따라 정렬을 하거나 검색할 수 있다. 대부분의 참고문헌 관리 프로그램은 각각의 참고문헌마다 메모할 수 있는 기능을 제공하며 그 안에 참고문헌의 연관성이나 내용의 중요성에 대해 적을 수 있다. 이 소프트웨어의 가장 큰 장점 중 하나는 참고문헌을 손으로 일일이 타이핑 할 필요 없이 직접 워드프로세서의 원고로 참고문헌을 전송할 수 있다는 점이다. 또한 대부분의 참고문헌 관리 프로그램은 다양한 참고문헌 포맷을 확인하고 이것을 불러들일 수 있다. 그러한 참고문헌은 도서 목록 데이터베이스나 혹은 기타 호환 가능한 전자 정보처에서 확인할 수 있으며 불러들일 수 있는 포맷으로 보거나 저장할 수 있다. 이 포맷에서는 각각의 필드마다 꼬리표를 붙일 수 있고 이를 다른 프로그램에서도 확인할 수 있다 (예를 들어서 저자는 AU 그리고 제목은 TI 등으로). 그 후 그 소프트웨어에 맞는 '불러들이기 포맷'을 이용해서 참고문헌을 받아오라는 지시를 내릴 수 있는데, 예를 들어, 메드라인이라고 확인되는 참고문헌에다가는 '메드라인'에다 특정한 공급업체 (OvidSP 등과 같은) 이름을 더하는 식이다. 이런 식으로 하면 최소한의 노력으로 참고문헌이 자신만의 라이브러리에 추가되므로 직접 손으로 작성했을 경우에 발생할 수 있는 오류가 줄어들게 된다.

이 과정이 손쉽기는 해도 함정이 있다는 사실을 간과해서는 안 된다. 여러 다른 데이터베이스에서 동일한 참고문헌을 중복해서 모으기 쉽고, 이로 인해 결국 자신의 라이브러리에 여러 개의 복사본이 쌓이게 된다. 이러한 경우에는 소프트웨어를 이용하여 '중복된 파일 제거'를 하도록 설정한다. 또한 각각의 참고문헌에 저자가 정확하게 나와 있는지 반드시 확인해 봐야 한다. 원저나 종설을 특정 서사들이 아닌 단체가 작성했다면 저자가 없는 것으로 나올 수도 있다. 메드라인에서 찾은 참고문헌의 제목들은 '코멘트 참조'라는 접미사와 함께 나올 수 있는데 이 내용도 함께 전송될 수 있음을 유념하고 최종 참고문헌 목록으로 보내기 전에 참고문헌에서 수작업으로 제거해야 한다. 마지막으로 자신이 찾은 모든 참고문헌을 라이브러리에 전송하고 싶은 충동을 조심하도록 한다. 연관이 있고 유용한 참고문헌만 넣어야 하는데 그 이유는 다시는 거들떠보지도 않을 문헌을 저장해봤자 쓸모도 없기 때문이다. 필요시에는 다시 메드라인이나 EMBASE같은 데이터베이스에서 찾아보면 된다.

논문에 참고문헌 달기

문헌 검색을 완료하고, 연구를 설계하고, 연구윤리 심의를 받고 연구를 마치면 비로소 논문을 써야 할 단계에 도달하게 된다. 자신의 원고에 기존에 선행한 이들의 연구나 관련 분야에서 자신이 그 전에 한 연구에 대해 언급해야 할 필요가 있다. 이때 독자의 편의를 위해 참고문헌 리스트나 논문의 끝에 나오는 최종 참고문헌 목록을 조회할 수 있게 하는 표시를 해줘야 한다. 참고문헌의 인용은 본인이 왜 이러한 연구를 수행하게 되었는지를 설명하는 서론부분과 본인이 수행한 연구방법을 정당화하고 지지하기 위한 연구방법에 일부 나오지만, 대부분은 주로 자신이 도출한 결과에 대한 의미와 해석을 서술하는 고찰부분에 나온다. 이때 저자는 실제로 명시할 참고문헌만을 선택해야 한다. 대부분의 학술지는 논문에 부가되는 참고문헌의 개수를 제한한다. 뿐만 아니라 분명한 사실은 1,500단어의 원고에 60개의 참고문헌이 붙은 논문을 좋아할 에디터는 이 세상에 없다는 것이다. 그러나 한편으로는 저자의 연구를 지지해주고 타인들의 관점도 인정해주는 포괄적인 고찰을 쓰기 위해 반드시 필요한 자료를 인용하지 않을 수는 없는 노릇이다.

참고문헌 관리 프로그램이 빛을 발하는 작업이 바로 원고에 참고문헌을 다는 과정

이다. 색인 카드 시스템을 사용한다면 색인카드의 번호와 함께 각각의 인용번호를 표
시해두어야 하고, 원고가 완성되면 인용했던 참고문헌 목록을 손으로 입력해야 한다.
하지만 참고문헌 관리 프로그램은 이에 요구되는 노동과 오류가 발생할 여지를 많이
감소시켜 준다. 예를들어 논문 심사후 리뷰어가 추가적인 참고문헌을 더 인용하라고
조언하는 경우가 있다. 이런 경우 참고문헌 관리 프로그램을 통하여 중간에 새로운 참
고문헌을 삽입하게 되면 전체적으로 인용한 참고문헌의 숫자가 자동으로 정렬되어
바뀌는 것을 볼 수 있을 것이다. 만약 불행히도 당신의 원고가 한 학술지로부터 거절
당해 다른 학술지에 투고하기 위해 포맷을 새롭게 바꿔야 한다 하더라도 소프트웨어
를 이용하면 포맷을 바꾸는 일이 쉽고 빠르게 이루어질 수 있다.
　참고문헌 관리 소프트웨어와 워드 프로세서는 함께 연동되어 작동한다. 참고문
헌을 인용해야할 때는 버튼을 한번 클릭해서 본문에 특수한 인용부호를 표시한다.
이후 원고가 완성되면 추가적인 명령을 통하여 전체 인용부호를 학술지 포맷에 맞
는 참고문헌 목록으로 모두 전환할 수 있다. 참고문헌 관리 프로그램은 본문에 나온
각각의 인용을 적합한 참고문헌 번호나 (밴쿠버스타일) 첫 저자의 이름으로 (하버드
스타일) 바꿔주고, 적합한 포맷의 참고문헌 리스트가 자동으로 논문의 본문에 표기
되게 해준다. 하지만 실수로 원본 파일에 잘못 업데이트 된 내용을 덮어쓸 수 있으므
로 다시 처음으로 돌아가지 않으려면 중간 중간 원고를 저장해두는 일을 잊지 말아
야 한다. 인용부호를 표시해둔 원고를 보관해두지 않는다면 논문에 수정을 해야 할
때 원고에 참고문헌을 삽입하는 과정을 다시 해야할 수 밖에 없다.

참고문헌 양식

　두 가지 양식이 존재하는데 하나는 밴쿠버 양식이며 다른 하나는 하버드 양식이
다. 전자가 과학논문에서 점점 더 선호되고 있는 추세다. 벤쿠버 양식은 1978년에 밴
쿠버에서 열린 일단의 의학 학술지 에디터들의 비공식적인 회의에서 결정된 양식이
다. 밴쿠버 그룹이 정한 원고의 요건은 1979년에 발표되었다. '생의학 학술지 투고
원고의 통일양식'이 바로 그것이다. 이 투고지침이 알려지고, 몇 번의 개정을 거친 후
에 현재 학술지들은 투고지침에 1997년이나 그 후 발표된 버전으로 인용할 것을 요
구하고 있다[3, 4].
　밴쿠버 양식에 의하면 참고문헌은 본문에 나타나는 순서대로 연속적인 번호가 매
겨져야 하며 괄호 안에 아라비아 숫자로 확인되어야 한다(리뷰 논문에는 다른 방식
을 요구하는 일부 학술지들도 존재하는데 예를들면 참고문헌은 참고문헌 목록에 알
파벳순으로 정리되어야 하며 본문에 나오는 순서대로 번호가 매겨져야하는 경우이
다). 한편 하버드 양식에서는 참고문헌은 저서의 이름과 출판년도를 괄호 안에 넣어
인용하도록 요구한다. 다수의 참고문헌을 함께 나열할 때는 세미콜론으로 구분하여

연대순으로 열거해야 한다. 그리고 참고문헌 목록에서 문헌들은 저자 이름을 알파벳 순으로 열거해야 한다.

당신의 원고에서 논문의 끝에 나오는 참고문헌 목록은 새로운 페이지에 써야 한다. 참고문헌이 어떻게 제시되어야 하는가에 관한 세부사항들은 학술지마다 판이하게 다르므로 반드시 목표로 하는 학술지의 투고지침을 잘 읽고 참고문헌 양식을 조사해 봐야 한다. 여러 참고문헌 관리 프로그램은 출력 양식이 프로그램 내에 세팅되어 있어 인용문헌과 참고문헌의 양식을 특정한 학술지의 요구사항에 맞추도록 해주고 있다. 다음 섹션은 가장 널리 사용되는 인용문헌의 양식을 위한 일상적인 관례를 소개한 깃이다. 학위논문, 학회 발표, 그리고 웹페이지에 인용하는 방식도 포함된다.

학술지 논문

저자의 성과 이니셜. 논문의 전체 제목. 학술지의 이름. 출판 연도; 권/호: 논문의 첫 페이지 숫자와 마지막 페이지 숫자

예시

Nunn JF, Bergman NA, Coleman AJ. Factors influencing the arterial oxygen tension during anaesthesia with artificial ventilation. *British Journal of Anaesthesia*. 1965; 37: 898-914.

책 혹은 단행본

저자의 성과 이니셜. 책의 전체 제목. 판. 출판된 도시: 출판회사; 출판 연도

예시

Robinson PN, Hall GM. *How to Survive in Anaesthesia*. 2nd ed. London: *BMJ* Books; 2002.

공동저서의 한 부분

장 저자(성과 이니셜). 장 제목. 책 저자들 혹은 에디터들(성과 이니셜), 책 제목, 출판된 도시: 출판회사; 출판 연도, 첫 페이지와 마지막 페이지

예시

Goodman NW. Evidence based medicine: cautions before using. In: Tramer M, editor. *Evidence Based Resource in Anaesthesia and Analgesia*. London: *BMJ* Books; 2000. Pp. 3-22.

결론

논문의 참고문헌을 준비하는 일은 많은 주의와 함께 정리가 필요하다. 모든 연구 프로젝트의 시작은 관련된 참고문헌을 완벽히 조사하는데서 출발함을 잊지 말아야 한다. 착수단계에서 적절한 문헌 조사에 실패하면 심각한 문제가 발생하여 당황하는 일이 생길 것이다. 관련 있는 논문을 찾고 반드시 정독까지 하는 것이 중요하다! 그리고 논문 작성을 해야 할 시기가 오면 필수적으로 저자의 원고에 참고가 되어줄 문헌 달기와 참고문헌 목록을 준비해야 한다. 소프트웨어 프로그램의 개발로 참고 문헌을 관리하는 일이 훨씬 쉬워지기는 했으나 여전히 부지런함과 정성이 필요하다. 정확한 참고문헌 목록을 제시하지 못하면 저자가 서툴어 보이고 에디터가 논문을 더 비판적으로 평가하도록 만들 뿐이다.

마지막으로 가장 중요한 것은 참고문헌을 찾고 읽고 이해하는 것은 번거로운 일 이지만 이 과정을 겪으면서 느끼는 지적인 희열이 있음은 부정하지 않는 것이 좋다. '최첨단'의 연구가설의 지형에 대해 박식한 동료와 의논을 하다 보면 아주 놀라운 대화를 나눌 수 있을 것이다. 더욱이 시간이 흘러 저자의 연구가 진보함에 따라 본인이 흥미를 가진 분야의 지식에 꽤 권위 있는 이해 수준을 갖추게 되었음을 깨닫게 될 것이다. 이는 은근하지만 참으로 진정한 즐거움이다.

참고문헌

1. Simkin MV, Roychowdhury VP. Read before you cite! 2002. Available at:http:// www.arxiv. org/ abs/ cond-mat/ 0212043 (accessed 25 July 2012).

2. Muir H. Misprinted citations finger scientists who fail to do their homework. New Sci 2002;176:12.

3. International Committee of Medical Editors. Uniform requirements for manuscripts submitted to biomedical journals. Available from:http:// www.icmje.org (accessed 25 July 2012).

4. International Committee of Medical Editors. Uniform requirements for manuscripts submitted to biomedical journals. Ann Intern Med 1997;126:36–47.

제9장   전자투고

마이클 윌리스

영국, 옥스포드, 윌리

상황 설정

이메일을 보내거나 학술지 홈페이지를 통하여 파일을 업로드(이 장에서 초점을 맞추도록 하겠다)하는 방식으로 원고를 투고하는 것이 보편화 되어 이제 학술지들이 원고를 한행씩 띄어 타이핑하여 사무실로 보내라고 요구하는 일은 드물어졌다.

이런 현상은 사회과학 분야의 학술지보다는 빠르게 발전해나가는 물리나 생명과학 분야에서 더욱 흔하며, 개발도상국 학술지보다 서구 국가의 학술지에서 더욱 빈번하게 벌어지고 있다. 후자의 경우는 기술적인 사회기반이 아직 약해서 믿을만한 인터넷 접속과 대역폭의 사용이 아직 비싸기 때문이다. 이 점은 제쳐놓고서라도 두 곳의 유수한 전자투고 학술지 웹사이트 제공회사를 보면 7,000개의 전문 학술지[1]와 500개가 넘는 협회, 출판회사, 그리고 대학 출판사[2]를 대리한다고 주장하고 있다.

수혜자는 누구인가?

전자투고는 저자보다는 출판업체 측에 훨씬 많은 혜택을 준다고 생각하는 게 당연하다. 결국 이로 인해 편집부의 행정적인 부담이 줄어들고 종이와 우표 비용을 절약하게 되며 서류를 보관하고 저장하는 공간도 필요 없게 되었으니 말이다. 또한 편집부 사무실은 더 효과적으로 새로 투고된 원고가 학술지의 목표와 양식에 맞게 투고되었는지 확인할 수 있으며 논문에 빠진 정보가 최소한의 시간 안에 채워지도록 책임질 수 있게 되었다.

에디터들과 리뷰어들에게 인터넷이 연결된 곳이라면 정확히 동일한 버전의 동

---

1. 현재 상호 검토 후 출판되는 학술지는 대략 2만 개에서 2만 5천 개로 추정되고 있다.
2. ScholarOne:365 협회/출판회사/대학 출판사, 3,400개의 논문, 130만 개의 투고, 등록 사용자 1300만 명 (http://scholarone.com/media/manuscripts fs.pdfm, 2012년 6월 접속). Editorial Manager: 4,200개의 논문, 200개의 협회/출판회사/대학 출판사(http://editorialmanager. com/media/homepage.html 2012년 6월 접속). 하나의 출판업체는 물론 복수의 판매회사와 거래할 수 있다.

일한 문서에 낮이건 밤이건 상관없이 세계 어느 곳에서든지 접속할 수 있다는 사실은 정말 중요한 전대미문의 사건이다. 하루 24시간, 365일 언제나 접근이 가능한데 이는 간과되기 쉬운 사실이기도 하다. 물론 제약도 있다. 웹사이트에서 도움을 주는 편집부 직원이 항상 상주하며 도와줄 수는 없고 소프트웨어 호환이 안되거나, 타임아웃 혹은 서버 에러 같은 기술적인 문제에서 완전히 해방될 날은 아직 멀었다. 또한 그들은 자연스럽게 논문을 투고하는 저자들도 웬만한 수준으로 컴퓨터를 잘 다루기를 바란다.

그럼에도 불구하고 과거 전자투고 시스템이 도입되기 이전(표 9.1)과 비교하면, 전자투고의 혜택은 이루 말할 수 없이 크다. 온라인 전자투고가 상호 검토 과정[3]에서 불거질 수 있는 모든 폐단을 치료하는 만병통치약은 아니지만, 저자 본인들도 그 혜택에 감사하고 있다. 2005년에 저자들을 상대로 시행된 조사에 따르면 설문에 응한 저자들의 81%가 '모든 조건이 동일하다면 다른 수단의 투고보다 온라인 전자투고를 선호한다'고 응답했다[1]. 본 저자의 개인적인 경험으로도 그렇다. 만약 '오프라인'으로 논문을 투고하는 저자가 있다면 온라인으로 다시 새롭게 투고하는 게 낫다고 쉽게 설득할 자신이 있다.

속도

논문투고 방식을 선택할 때 빠른 상호 검토가 저자들에게도 매우 중요하게 여겨지고 있다. 따라서 저자들은 투고를 한 뒤 리뷰에 들어가기까지 시간이 얼마나 걸리는지 아는 것을 매우 중요하게 여긴다. 리뷰어가 검토를 하겠다는 동의를 한다면 겨우 몇 분 안에 완전한 원고를 받아 볼 수 있다. 그리고 통과된 논문은 조판을 위해 전자투고 시스템을 통해 즉시 제작부로 전송되게 된다. 이러한 속도는 전자저널이 도입되기 이전의 전통적 환경에서는 상상할 수 없던 것이다. 전자 투고 시스템은 논문 투고를 받은 뒤 불과 며칠 만에 에디터가 편집부에서 수천 마일 떨어진 곳에 있는 리뷰어를 통해 검토결과를 받아보고 첫 번째 결정을 내리는 것을 가능하게 만들었다. 이 과정이 진행되는 동안 저자 또한 본인의 논문이 어느 상태에 있는지를 확인하는 것이 가능하여 전자 투고가 활성화되기 이전처럼 일일이 타이핑한 복사본이 혹시 분실되는 건 아닐지 마음을 졸일 필요가 없게 되었다.

출판에 걸리는 시간도 소위 '연속적 상호 검토'로 불리는 모델로 단축되었다. 원고가 한 학술지에서 거절당하더라도 그 학술지와 같은 분야에 있는 다음 단계의 학술지에 원고를 전달해주기도 하는 것이다. 이것은 리뷰어들의 부담을 덜어주고 전체 검토과정에 걸리는 시간을 단축하여 빨리 진행하려는 의도로 보이는데 그 결과로 저

---

3. 출판 전 상호 검토의 전통적인 모델에 대한 주된 반박은 주관적이고 편견을 가지기 쉬우며, 비효율적이고 아주 엄격하지는 않다는 것이다.

표 9.1   전자투고 시스템이 저자들에게 주는 혜택

- 인터넷이 연결된 곳이라면 하루 24시간, 365일 언제나 접근이 가능하다.
- 원고의 상태를 즉시 볼 수 있다.
- 학술지에 직접적으로, 또는 즉각적으로 원고를 투고할 수 있다.
- 멀티미디어 파일도 사용할 수 있다.
- 상호 검토 과정이 더욱 효과적으로 운영된다.
- 통과된 논문은 제작팀으로 곧바로 전송될 수 있다.
- 출판윤리 규정을 더욱 잘 준수할 수 있다.
- 광범위한 종류의 통계사용에 대한 지침을 저자들에게 제공할 수 있다.

자 또한 혜택을 받게 된다. '신경과학 상호검토 컨소시엄(The Neuroscience Peer Review Consortium)' 같은 경우 여러 출판사와 관련하여 이러한 운동을 주도해 왔으며[4], Plos, BioMed Central 그리고 Wiley-Blackwell 같은 학술지들 또한 거절당한 원고를 적절한 다른 오픈 엑세스 학술지에 직접 전송할 수 있도록 저자들의 편의를 봐주고 있다. 저자들 입장에서도 출판사에서[4] 대신 재투고 과정을 책임지기 때문에 직접 원고를 손봐야 하는 수고를 덜 수 있어 편리하다. 이런 연속모델은 행정상의 작업량을 줄이려는 의도에서 시작되었다. 따라서 결국 이러한 전자투고 시스템은 학술지와 논문 모두의 성공에 있어 핵심적인 중요한 요소라 할 수 있을 것이다.

'상호 검토 과정'을 넘어선 원고는 온라인 투고 웹사이트에서 출판사의 제작부로 일괄적으로 보낸다. 제작부의 데이터베이스에 입력시키기 위해 예전처럼 디스크를 보내야 하는 일도 이제는 필요하지 않게 되었다. 데이터를 직접 재입력하는 중에 오류가 발생하거나 통과된 인쇄물의 배송이 지연될까 걱정하는 일은 전자투고 시스템이 정착되며 완전히 사라지게 되었다.

전자투고를 통해서 전체적인 처리속도가 훨씬 빨라진 것은 사실이지만, 투고된 원고가 이유없이 처리되지 않고 지연되는 일이 종종 생기는 것은 예전이나 지금이나 마찬가지이며 피해 갈 수 없는 일이라는 것을 유념하는 게 좋다. 예를 들면 리뷰어와 연락이 닿기 어렵거나 불가능한 경우이다. 리뷰어도 개인적 용무로 급한 경우가 있고 늘 시간에 쫓긴다. 그리고 두 명의 리뷰어가 서로 상충되는 의견을 내는 경우에는 통상적인 경우보다 더 많은 리뷰어에게 원고를 보내 상호 검토를 받기도 한다.

---

4.   Wiley 사의 '논문 전송 프로그램' 참조(http://wileyopenaccess.com/details/content/12f25d2979e/Authors.html, 2012년 6월 25일 접속).

윤리

전자투고가 주는 또 다른 혜택은 출판 윤리를 더 건강하게 지켜준다는 점이다. 출판과 연구 윤리는 오늘날 더욱 주목받고 있으며 COPE[5]와 ICMJE[6]같은 단체들로부터 지원을 받고 있다. 출판사와 에디터는 이 영역에서 진실성을 유지하는 것 중요하게 생각하며 전자 데이터베이스 시대가 도래하여 이를 도와주는 온라인 도구가 생겨났다. 예를 들어서 CrossCheck[7]은 광범위한 출판 자료를 검색하여 본문이 복제된 게 아닌지 에디터가 확인할 수 있게 해주며 즉시 '표절 가능성'을 발견해 준다. 하지만 이러한 검색결과의 해석은 시간이 많이 걸리는 데다가 전문가의 안목이 요구되며 심지어 그 결과도 신뢰도가 아주 높은 것은 아니다. 전자투고 양식과 검토자의 점수표는 에디터가 상호이해의 상충, 연구비의 출처, 출판 및 연구 윤리에 부합 여부를 포착할 수 있게 해준다. 물론 전자투고 시스템 도입 이전에도 이러한 정보를 보는 것이 가능했지만 전자투고 과정을 통하여 쉽게 발견할 수 있게 해주며 향후 참고가 필요할 때의 편의를 위하여 저장도 가능해졌다.

통계

저자에게는 별로 관계가 없는 혜택이지만 전자투고로 인해 편집부는 투고에 관련된 통계를 쉽게 낼 수 있게 되었다. 물론 이전에도 투고 진행과정에 걸리는 시간과 논문 개재 수락률에 대한 그래프를 제공할 수 있었으나 이는 많은 시간이 들어가는 일이었다. 반면 전자투고 시스템에서는 버튼 하나만 누르면 (아니면 다른 유사한 동작) 그런 정보가 뜨기 때문에 보다 쉽고 빠르게 통계를 낼 수 있게 되었다. 이에 따라 출판회사들과 에디터들은 편집규정을 개선하고 더욱 확실한 전략을 세우지 않을 수 없게 되었다. 또한 이러한 통계는 학술지의 에디터들이 학술지의 초점을 밝히고 저자들에게 그들의 투고에 대해서 명백하고 유용한 결정을 내리는 데 도움이 될 수 있다.

멀티미디어

더 넓어진 기술적 발전에 힘입어 일부 분야에서는 멀티미디어 파일을 논문 투고의 보충 자료로써 첨부할 수 있도록 권장하는 추세인데 그 종류는 수술과정을 보여주는 동영상부터 샘플 배경음악까지 다양하다. 음향과 비디오를 활용하는 것은 연구논문의 차원을 한 단계 높이고 독자들의 경험도 진일보시킨다. 투고 웹사이트는 쉽게 이런 자료들을 수용하는데 이때 관건은 대용량의 파일들을 업로드 하는데 필요한 데이터 전송 속도이다. 한편 웹사이트에 업로드 하기가 쉽지 않은 저자들은 그림이나 동

---

5. 출판윤리위원회(http://publicationethics.org, 2012년 6월 접속).
6. 의학학술지에디터국제위원회(http://www.icmje.org, 2012년 6월 접속).
7. CrossCheck은 iTenticate에서 공급하는 소프트웨어를 사용하는 CrossRef에서 개발한 도구이다. (http://crossref.org/crosscheck.html, 2012년 6월 접속).

영상이 담긴 DVD를 편집부 사무실에 보내올 때도 종종 있다.

문제점

원고의 전자투고 과정이 저자에게 불리한 점도 당연히 있을 수 있다. 모든 저자들이 인터넷을 접속할 준비된 것은 아니며 확실한 인터넷 접속을 못할 수도 있다. 어떤 저자는 전자투고를 확신하지 않기 때문에 차라리 우편으로 인쇄본을 투고하길 원하기도 한다. 전자투고를 통해서 첫번째 학술지로부터 개재불가 통보를 받고 이후 바로 두번째 학술지에 재투고 하는 것은 이론적으로 매우 쉬워보인다. 그러나 여러 학술지의 투고 지침에 나온 많은 요구사항에 저자들이 당황할 수 있다. 그리고 한 학술지로부터 거절을 당한 저자가 동일한 논문을 다른 학술지에 투고하려 하면 투고 지침에 부합하지 못했다는 단 하나의 이유로 거절을 당하기도 한다. 그러나 일반적으로 이러한 시스템의 도입으로 저자들이 얻게 되는 혜택이 극명하므로 학술지로서도 전자투고 시스템으로의 전환을 반기지 않을 이유가 없을 것이다.

미래에 대한 전망

본 저자는 머지않아 적어도 두 가지의 주요한 영역에서 전자투고 시스템이 또 한 번 변혁의 시기를 맞이하게 되리라고 예상하고 있다.

1. 모바일 어플('앱')의 개발. 2011년에 미국의 핸드폰 사용자들에게서 나타난 세 번째 가장 흔한 활동은 모바일 어플의 사용이었다[8]. 2011년 4월 이후의 수치를 보면, 영국에서 모바일 인터넷 사용자의 40%가 모바일 어플에 접속했다[9]. 2012년에는 미국에 거주하는 전문인들의 57%가 스마트폰이나 태블릿(PC에 대비하여)을 주된 컴퓨터 도구로 사용할 것으로 관측되었다. 그러니 미래의 풍경이 충분히 예상이 된다. 인터넷 접속에 모바일 기계를 선호하는 에디터들, 리뷰어들 그리고 저자들의 늘어나는 요구를 전자투고를 다루는 시스템들이 충족시킬 것으로 예상되며 '모바일 사용자 경험'에서 앱이 가장 뛰어난 역할을 할 것이다. 저자가 논문을 투고한 후 이동하면서 원고의 상태를 확실하고 신속하게 추적할 수 있고 (기준 웹사이트의 가장 최신 버전을 이용하여) 에디터가 투고상태를 관리하고 저자가 이것을 알아볼 수 있게 해주는 앱이 나올 것이다. 현재 투고 웹사이트는 대부분 컴퓨터나 노트북 환경으로 구성되어 있는데, 온라인 투고 시스템의 판매업체

---

8. 미국모바일생태계(U.S Mobile Ecosystem)에서 가져온 자료이다. (http://ecosultancy.com/uk/reports/mobileecosystem 에서 확인가능, 2012년 6월 접속).
9. GSMA 모바일 미디어 매트릭(GSMA Mobile Media Metric)(MMM) 어플리케이션 측정 보고서에서 가져온 자료이다. 요약을 보려면 (http://mobilemarketingmagazine.com/contents/goggle-maps-leads-way-connected-uk-mobile-app-usagel, 2012년 6월 접속).

들이 모바일 도전[10]에 어떻게 대응해나갈지 지켜보는 게 흥미로울 것이다.

2. 상호 검토 모델이 바뀌고 있다. 지금까지 다룬 주제는 '출판에 적합한 상태로 원고가 완성되어 익명의 상호 검토를 받는 시스템'에 근거해서 설명한 것인데 일부 학술지들은 개방 혹은 출판 사후의 상호 검토 모델을 실험 중이다. 의심의 여지없이 인터넷 혁명과 지역 자체 웹사이트들이 이런 현상을 촉발했다. 즉 논문이 쉽게 인터넷에 기재되고 동료들의 평가를 받은 후에 실제로 공식적인 상호 검토나 전통적인 논문 모델의 발표과정 없이 대중에게 공개되는 것이다. 이러한 형태를 가진 상호검토 모델의 전자투고는 품질 관리와 과학적 소통의 활용 가능성을 둘러싸고 큰 논란이 되는 중이다. 온라인 투고 시스템의 판매업체들이 과학계의 향방에 따라 어떤 제품들을 선보일지는 좀 더 흥미롭게 연구해볼 여지가 있다.

참고문헌

1. Ware M. Online submission and peer-review systems. Learn Publ 2005;18(4):245–60. Available at:http:// dx.doi.org/ 10.1087/ 095315105774648771 (accessed 25 July 2012).

---

10. 흥미롭게도, '2011년 스칼라원 유럽사용자 컨퍼런스' 내내 모바일 웹 개발 주제로만 채워졌다. '미래의 스칼라원 논문 모바일 옙에 대한 예상'(그 안건을 보려면 http://scholarone. com/media/pdf/2011UCAgenda.pdf, 2012년 6월 접속).

제10장 오픈액세스

마크 웨어

영국, 런던, Outsell (UK) Ltd

오픈액세스란 무엇인가?

오픈액세스란 별다른 제한을 두지 않고 문헌을 바로 온라인 상에서 볼 수 있도록 제공하는 것으로, 유료구독, 사이트 라이센스, 논문 이용료를 내지 않고 누구나 이용할 수 있게하는 것이다[1].

조금 확대해 말하자면, '오픈액세스가 가능한 요건'을 갖추기 위해서는 다음의 자료가 무료로 이용 가능해야 한다.

• 추가비용이나 등록 같은 제한조건 없이 이용이 가능해야 함
• 인쇄과정나 배달과정 없이 바로 온라인 상으로 출판됨
• 영구적
• 타당한 경우 별도의 비용없이 자료를 재활용 할 수 있음

'오픈액세스'는 학술지 전체가 아니라 개별 논문들이 오픈되는 것을 의미한다. 학술지는 오픈액세스와 그렇지 않은 논문을 혼합하여 구성할 수 있다. 오픈액세스에서는 저자가 저작권을 보유하지만 이를 활용하고자하는 이들에게 일련의 권리를 부여하는 것으로, 단순히 저자가 자신의 논문을 무료로 공개하는 것과는 다른 의미를 갖고 있다. 이런 권리의 부여는 라이센스를 통해 이루어진다. 라이센스를 통해 가장 흔하게 이루어지는 학술논문의 오픈액세스[2]는 사용자가 '다운로드', '복사본 저장', '인쇄', '읽기', '유포'를 하는 것이 가능하며 교육 및 연구용으로 써도 된다. 해당 논문의 명예를 원저자가 가지고 논문 내용을 그대로 재사용 하는 것이 금지된다는 점만 제외한다면, 사실상 연구자 대부분이 얻고 싶은 것을 다 허용한다고 볼 수 있다. '모

---

1. Peter Suber의 '오픈액세스 개요'에 이 주제에 대한 명확한 소개가 나와있다 (http://www. earlham.edu/~peters/fos/overview.htm, 2012년 6월 25일 접속). 저자의 웹사이트에는 더 많은 읽을 거리가 있다.
2. 즉, 저작물의 사용허가표시나 이에 필적하는 것 .

든 저작권은 그 회사에 있다'라는 문구 대신에 '일부 저작권은 그 회사에 있다'가 더 적절한 경우인 것이다.

오픈액세스는 자신의 연구가 널리 읽히고, 유포되고, 인용되고, 논쟁의 대상이 되고 신뢰가 쌓이기를 바라는 저자의 바램을 반영한다. 자신의 작품을 판매한 대가로 경제적인 보상을 추구하지 않는 저자(상업적 출판물의 저자들과 달리)들에게 적합하다고 볼 수 있다.

오픈액세스에 왜 신경 써야 하는가?

4개의 주요한 이유가 있다.

1. 자신에게 이익이 될 것이라고 믿는다. 자신의 연구가 더 알려지고 사용되어, 더 많이 인용되고 명성이 높아질 것이다.
2. 타인들과 사회에 크게 이익이 될 것이라고 믿는다.
3. 연구비 후원기관이나 소속기관으로부터 당신의 논문을 공적으로 공개하여 누구나 열람할 수 있도록 하라는 요구를 받는 경우가 있다.
4. 그저 단순히 실용적인 문제 때문이다. 투고하고자 하는 학술지(명성, 관련성, 출판의 속도 등 어떤 사유든 간에)가 우연히도 오픈액세스를 시행하는 학술지일 수 있다. 이 문제는 아래에서 더 상세하게 다루도록 하겠다.

나의 논문을 어떻게 오픈액세스 하도록 만들 수 있는가?

원고를 오픈 액세스 할 수 있도록 하는데 주요한 두 가지 방법이 있다. 즉, '오픈액세스 출판'(때로는 '황금 경로'라는 이름으로 알려진)과 온라인 개방 데이터베이스(녹색경로, 자가파일 보관)의 저자로부터 투고비용을 받는 것이다.

오픈액세스 출판(황금 경로)

오픈액세스 학술지들은 독자들이나 도서관으로부터 받은 구독료나 다른 비용에 의존하지 않으므로, 그들의 콘텐츠를 무료로 사용할 수 있게 해준다.

그대신 수익을 얻는 원천 중 하나는 논문 숫자 당 출판 수수료를 부과하는 것이다. 논문의 수수료는 흔히 1,000달러에서 3,000달러 사이인데, 일부는 그 미만이며 5,000달러까지 받는 소수의 학술지도 있다. 출판 수수료를 받는 학술지들은 이를 낼 여력이 안 되는 저자들(예를 들어 개발도상국의 저자들)의 수수료를 저렴하게 해주거나 면제해주기 위한 조치를 취하고 있다. 많은 연구비 수여기관이 출판비용을 연구비에 포함하도록 하며 일부 기관은 예산까지 미리 책정해 놓는다.

하지만, 모든 오픈액세스 학술지들이 출판 수수료를 부과하는 것은 결코 아니다. 놀랍게도 다수의 학술지가 그러한 수수료를 챙기지 않는다. 대신 그들은 연구비, 후

원, 광고, 인쇄, 출판 구독료, 주최기관 같은 다양한 기관으로부터 자금을 조달하고
있다. 규모가 큰 오픈액세스 학술지들과 출판회사들이 출판 수수료를 받고 있지만
오픈액세스 논문의 대부분(학술지와 상반되게)은 이런 식으로 출판된다.

'오픈액세스 학술지 디렉터리(Directory of Open Access Journals, DOA)' 리스트에
는 약 7,360개의 학술지(2011년 12월)가 등재되어 있으며 이는 주제 별로[3] 훑어보거
나 검색해 볼 수 있게 되어 있다. '오픈액세스 출판'이 성장세에 있다는 하나의 증거
는 본 저서의 이전 판(2007년 후반)을 쓰고 있을 당시에는 그 수치가 겨우 2,560건
에 불과했다는 것이다.

하이브리드 또는 부분적 오픈액세스 학술지들

완전한 오픈액세스 학술지 이외에도 하이브리드 혹은 부분적인 오픈액세스를 제
공하는 많은 학술지가 있다. 주요한 변형은 다음과 같다.

- **선택적인 오픈액세스.** 구독료를 받는 학술지들은 저자들이 (출판 수수료에 대한 보답
  이며, 완전한 오픈액세스 학술지들에서 부과하는 규모와 비슷) 논문을 오픈액세스 하
  도록 허락해준다. 이것이 오픈액세스 학술지의 가장 흔한 종류일 것이다. 하지만 비
  용을 일부러 지불하고 논문을 오픈억세스로 전환하는 저자들은 많지 않아서 현재는
  전체 저널의 작은 부분을 차지한다.
- **지연된 오픈액세스.** 구독료를 받는 학술지가 일정한 기간(두 달, 1년 또는 그 이상)이
  지난 후에 기재된 내용을 오픈액세스 한다. 'HighWire'에 올라온 것만 봐도 그런 DOA
  글이 210만 개 정도 있다.
- **하이브리드 학술지.** 이것은 어떤 종류의 콘텐츠에는 오픈액세스를 제공하고, 다른 종
  류의 콘텐츠(예를 들어서 종설 혹은 기사 등 의 콘텐츠)에 접속하기 위해서는 구독료
  를 내야한다.

광범위한 오픈액세스 학술지들과 상호 검토 혁신

'온라인 전용 출판 수수료 부과 모델'은 검색 및 다른 탐색 도구와 결합하여 매우
넓은 주제 범위를 가진 학술지가 구독료를 부과하는 모델에서는 비현실적이었을 출
판을 가능하게 해준다. 그러한 일부 '오픈액세스 학술지'(제일 잘 알려진 예는 *PLoS
ONE*이다) 들은 논문 리뷰과정에 있어서 해당 연구가 얼마나 중요한지 보다는 얼마
나 확고한 결론을 제시하는지를 주된 기준으로 하는 등 상호 검토 과정의 새로운 모
델을 제시하고 있다. 기존에는 검토자들의 연구의 기술적인 수준을 보고 판단을 내

---

3. 오픈액세스 학술지 디렉터리에서는 7360개의 학술지가 주제 영역에 따라 검색 및 보기가
   가능하다. (http://www.doaj.org, 2012년 12월 25일 접속)

렸지만, 그 연구의 장기적 중요성이나 특정 학술지와의 적합성을 보지는 않았다. 그러나 지금은 혁신이 더 중요하다고 이야기된다. 그 이유는 논문의 영향력에 대한 평가는 출판 이후 독자들의 독자들의 참여를 통해 객관적으로 판달할 수 있으므로 논문 리뷰시 리뷰어에 의한 주관적 개입을 최소화하고 중복되는 상호 검토 작업을 감소시켜서 출판 속도를 앞당기기 때문이다.

셀프 아카이빙('녹색' 오픈액세스)

오픈액세스의 또 다른 경로는 자기가 쓴 논문의 복사본을 개방 데이터베이스에 올리는 것이다.

두 가지 종류의 데이터베이스가 존재한다. 연구주제를 기본으로 한 데이터베이스는 특정 주제에 맞는 자료들을 제공한다. 기관의 데이터베이스는 대학과 같은 특정한 단체의 생산물(연구뿐만이 아니라)을 보관한다. 이론상으로는 저자가 어느 쪽을 선택하느냐가 크게 문제가 되지는 않는다. 그 이유는 데이터베이스 프로그램이 각각의 정보들을 서로 참고하면서 운영하도록 설계되어 있어서, 단독의 검색 인터페이스로 모든 데이터베이스가 검색되기 때문이다. 실제로는 특정 분야의 연구자들은 잘 알려진 데이터베이스(PubMed와 같은)를 활용하는 것에 익숙해 있지만 기관의 데이터베이스에서 문헌을 찾는 방법에 대해서는 모를 수도 있다. 두 번째로, PubMed 같은 집중된 서비스는 글을 소개하는데 사용되는 '메타데이터(검색어나 주제명 표목 등의)'에 규율을 도입할 수 있어, 더욱 효과적인 검색 인터페이스를 가능하게 해준다. Google Scholar와 Microsoft Academic Search 같은 서비스의 향상과 확대로 인해 위의 열거한 잠정들이 무의미해질 수도 있겠다.

저자들은 데이터베이스에 글을 올리는 행위가 학술지와 출판회사로부터 그들이 체결한 저작권을 위반하는 것이 아닐까 걱정하곤 한다. 하지만 놀랍게도 그럴 필요가 없는 것이, 학술지와 출판사 대부분이 저자들이 논문의 일부 버전을 저장할 수 있게 허락하고 있다. 이런 경우는 보통 게재가 수락된 원고(포스트 프린트)일 경우인데, 심사는 끝났으나 아직 출판회사에서 편집을 하지 않은 단계를 지칭한다. 최종적으로 출판된 논문의 저장을 허가하는 학술지도 일부 있다.

많은 학술지가 이런 베이테베이스에 자료를 올리는 것에 조건을 붙인다. 논문이 출판되는 시기와 가장 빠르게 오픈액세스 되는 시기 사이에 엠바고를 요구하는 학술지도 많다. 다른 학술지들은 출판회사의 웹사이트에 올린 공식적인 버전에 URL 링크를 거는 것을 요구하기도 한다.

직접제출에 관한 출판회사의 규정은 ROMEO 웹사이트에서 간편하게 확인이 가능하다.[4]

---

4. ROMEO – 여기서 자기기록보관을 위한 출판사의 정책에 데이터베이스를 볼 수 있다 (http://www.sherpa.ac.uk/projects/sherparomeo/html, 2012년 6월 25일 접속).

오픈액세스를 지지하는 논거

지금까지 논문을 오픈액세스 하면 저자에게 어떤 혜택이 돌아오는지에 대해 살펴보았는데, 더 많은 독자층을 확보하여 더 많이 인용될 수 있고, 연구자로서의 명성을 증가시켜 새로운 연구 파트너를 끌어올 수 있다는 것이 요지였다.

이제는 한발 물러나 오픈액세스를 지지하는 좀 더 넓은 논거를 살펴보도록 하겠다. 첫째, 오픈액세스로 인해 연구문헌들의 가시성과 접속성이 더욱 커져서 연구의 결과가 더 큰 영향을 미친다. 논문이 다운로드 되는 횟수가 증가함으로써, 오픈액세스가 논문에 긍정적 영향을 끼친다는 증거가 있다. 그러나 결과적으로 인용이 증가했다는 것은 확실치 않은데, 이러한 증가가 오픈액세스 상태 그 자체에 기인한 것인지 아니면 다른 요소들(저자들은 일반적으로 인용을 할 때는 쉽게 구할 수 있는 자료를 통하는 것이 아니라 중요한 연구를 인용하려고 한다)에 기인한 것인지에 대해 논란이 있기 때문이다.

두 번째, 오픈액세스가 연구의 더 빠르고 효과적인 발전을 증진할 수 있다. 부분적으로는 접근이 더욱 쉬워졌기 때문이고 다른 부분으로는 출판 전에 직접 제출을 하기 때문이다.

세 번째, 오픈액세스로 인해 해당 분야를 더 잘 평가, 관찰, 관리하는 것이 용이하게 되었다. 한 분야 내에서 인용실태를 조사하는 출판물의 통계적 분석 도구는 개발된 지 조금 시간이 흘렀지만, 모든 과학 문헌들이 개방된다면 그런 도구가 훨씬 더 효과적으로 사용될 것이다.

네 번째, 오픈엑세스로 인해 데이터 마이닝과 텍스트 마이닝이 가능할 수 있다. 물론 유료 콘텐츠(예를 들어, 출판회사로부터 라이센스를 받아)로도 이루어질 수 있지만, 만약 모든 문헌이 투명하게 개방되어 있다면 더욱 쉽고 효과적으로 문헌을 검색할 수 있을 것이다.

다섯 번째, 오픈액세스 학술지들이 구독을 기본으로 한 학술지들보다 더 나은 경제적인 이득을 제공한다고 여겨진다. 예를 들어, 논문의 전자 복사본 한 부를 공급하는 한계비용이 0에 가깝다면, 접속에 비용을 부과하지 않는 게 더 효과적인 것이다. 왜냐하면 아무리 작은 비용이라도 해당 문헌을 보는데 비용이 들어간다면 예비사용자가 문헌검색을 단념하게 될 수 있기 때문이다. 경제비용-이익 연구 또한 특정한 상황에서는 오픈액세스 모델이 더욱 유리한 것으로 보인다.

마지막으로, 세금으로 기금이 조성된 연구의 결과물은 당연히 납부자들인 대중이 접속할 권리가 있다는 것이 다수(특히 미국에서)의 의견이다.

오픈액세스를 반대하는 논거

오픈액세스 혜택에 대해 반대가 없는 것은 아니다.

첫 번째 오픈액세스 학술지의 비즈니스 모델이 학술지의 모든 주제영역에서 합당한지(혹은 지속가능한지)에 대해 회의적인 이들이 있다. 예를 들면 오픈액세스의 활용은 기금이 드문 사회과학같은 분야보다 주로 연구기금을 받는 생명과학에서 훨씬 흔하다는 것이다.

두 번째로 오픈액세스의 출판 수수료를 받는 방식에 대한 비판도 있다. 현재의 구독형 모델이 오픈액세스로 전환하려면 사실상 이루어지기 쉽지 않은 대규모의 기금 이동이 이루어져야 하며, 전체 시스템을 바꾸는데 엄청난 비용이 필요하게 될 것이라는 것이다. 하지만 실제로는 오픈액세스는 앞서 언급한 요인이나 기타 다른 요인들 때문에 한번에 완전히 전환된다기 보다는 필요에 따라 다양한 방식으로 성장할 것이다.

그러나 이와는 반대로 오픈액세스가 기존 학술지에 기생하는 방식을 벗어나기 어렵다는 비판도 존재한다. 저자들은 여전히 권위 있고 관련 있는 학술지에 논문을 투고하길 희망하기 때문이다. 그렇지만 연구비 제공 기관에서 해당 연구비로 수행된 연구가 일반에게 오픈되어야한다고 지침을 내린다면, 그 연구는 오픈액세스를 택해야 한다. 결국 그런식으로 진행되다보면 도서관은 유료 학술지보다는 무료 학술지를 더 많이 선택하게 될 것이고 많은 학술원고들이 학술지 사이트 보다는 독립된 데이터베이스에서 더 쉽게 검색되기 때문에 많은 사람들이 데이터베이스를 더 애용하게 될 것이다.

그럼에도 불구하고 기존 구독모델을 지지하는 사람들은 학문 분야에 따라서 검색되는 정도가 다르기 때문에 여전히 두 모델이 모두 양립가능하다고 이야기하고 있으며, 실제 경제적 문제로 존폐위기에 놓이게 된다면 그때 방식을 전환하는 것이 가능하다고 주장한다.

세 번째는 출판 수수료가 연구기금을 못 받거나 형편이 어려운 단체나 가난한 나라의 이들을 차별한다는 비판이다. 그렇지만 대부분의 오픈액세스 학술지에서 이런 저자들을 위해 할인된 수수료 혹은 무료 출판을 제공한다.

네 번째 비판은 오픈액세스 학술지가 질이 낮은 논문을 받아들이는 경제적인 동기를 가질 수 있다는 것이다. 더 많은 논문을 올릴수록 더 많은 출판수수료를 받을 수 있기 때문이다. 사실상 규모가 클수록 더 높은 구독료를 받을 수 있기 때문에 구독료를 받는 학술지들도 비슷한 유혹을 받을 수 있다. 그러나 실상에서는 두 가지 타입 중 어떤 학술지이든 좋은 학술지들은 독자와 저자를 끌어모으는 것이 출판 콘텐츠의 질을 결정적으로 좌우하기 때문에, 리뷰어의 평가와 에디터의 결정과정을 학술지의 재정적인 면에서 분리하려 한다.

한편, 직접제출은 동일한 논문이 여러 다른 버전으로 확산 될 우려를 일으킨다. 통과된 논문은 실질적으로 (과학적인 콘텐트 면에서) 출판회사의 최종 버전과 달라서는 안되지만, 복사 편집 과정에서 약간의 변경이 이루어질 수 있고 그 점이 중요한 경우도 있을 수 있다. CrossCheck을 이용하면 어떤 버전인지 명확하게 알 수 있다.

연구비 기금처의 규정

연구비 기금처들은 기금을 받는 연구자들이 그 기금으로 실시한 연구 결과 논문을 공개적으로 접근할 수 있도록 해 달라고 요구하거나, 조건으로 하는 규정을 도입하기 시작했다. 이런 요구사항은 오픈액세스 학술지(혹은 구독 학술지의 임의적인 오픈액세스를 활용해서)에 투고하거나 혹은 개방데이터베이스에 등록함으로써 충족된다.

이런 실상 뒤에는 여러 이유들이 혼합되어 있으나, 그 핵심은 연구 기금처들의 연구결과가 더욱 자유롭게 활용 가능하다면, 연구 투자로 얻는 이익이 더 커질 거라는 논지를 인정한 것으로 보면 되겠다.

최근 이런 규정이 의무화되는 경향이 증가하는데, 자발적으로 하도록 놔두면 셀프아카이빙 같은 서비스를 선택하는 저자의 비율이 약 4~5%인 것으로 나타났기 때문이다. 이와 대조적으로 저자들을 상대로 한 조사결과, 고용주나 기금처가 등록을 요구했을 때 약 95%가 이를 따르겠다고 했다.

연구비 기금처의 규정에는 이러한 등록이 자발적이거나 의무적일 수 있다. 또한 특정 버전은 반드시 등록을 해야 하거나 (게재 확정된 논문의 경우) 출판 직전까지 자유롭게 활용할 수 있도록 최대한 지연할 수도 있다(명시되어 있다면, 주로 6~12개월 혹은 '출판회사의 규정에 부합하는 즉시'의 대안공식). 또한, 오픈 액세스 논문 투고에 필요한 수수료를 후원하는지 그렇지 않은지 여부와 등록장소가 어디인지 (NIH, Wellcome은 PubMed Central과 UK PubMed Centra을 각각 명시, 기타 기금처들은 저자로 하여금 알맞은 주제 데이터베이스나 기관 데이터베이스를 선택) 등 여러 변동요인이 있다.

등록 규정을 적용하는 단체로부터 기금을 받았다면, 그러한 요구사항도 함께 전달받았을 것이다. 연구 기금처의 규정에 대해 자세히 알아보길 원한다면, 두 개의 웹사이트가 존재하는데, ROADMAP(이 책을 읽는 대부분의 독자가 선호하는) 그리고 JULIET[5]이 있다.

---

5. JULIET – 자기기록보관에 대한 기금처의 정책에 대한 온라인 데이터베이스 (http://www.sherpa.ac.uk/juliet, 2012년 6월 25일 접속). ROARMAP 또한 유사한 정보들과 대학정책을 담고 있다 (http://www.eprints.org/openaccess/policysignup)

제11장 서신 쓰는 방법

마이클 도허티

영국, 노팅엄, 노팅엄 대학교, 류머티스학과

일반적인 고려 사항

학술지에 서신을 보낼 때, 다음의 질문을 우선적으로 고려한다.

• 서신의 목적은 무엇인가?
• 서신의 형식이 해당 학술지에 적합한가?
• 당신이 전달하고자 하는 내용이 서신으로 보낼만한가?

서신의 목적은 학술지마다 다르다(**표 11.1**). 대부분의 서신은 이전 논문에 대한 논평이다. 하지만 보고서 형식으로 긴 내용을 쓰는 것이 아니라 간단한 내용을 공지하는 경우도 서신으로 적합할 수 있다. 항상 '저자를 위한 지침'을 숙지하고 최근에 발간된 학술지의 해당 부분을 검토하여, 실제 출판된 서신이 어떤 문체 혹은 형식을 가지고 있는지 참고하는 것이 현명하다. 정보량이 많지 않은 짧은 내용의 서신을 쓰면

표 11.1 서신의 목적

보통
• 이전 출판물에 대한 논평(긍정적 또는 부정적)
• 임상 또는 조사한 데이터에 대한 간결한 교신
• 사례보고에 대한 교신

덜 흔한
• 일반 의학적 또는 정치적인 논평(예를 들어서 협회 문제점)
• 학술지의 특성 또는 포맷에 관한 논평
• 공동연구에 대한 관심이나 환자 혹은 연구자료를 접하기 위한 관심 표시

서 아주 긴 저자 목록을 적어놓는 경우는 흔치 않다. 중요하지 않은 논평이나 의견은 수락되기 어려우므로 전달하고자 하는 정보가 출판되기에 타당한지 항상 질문해 보도록 한다.

만약 전달하고자 하는 목적과 내용이 서신에 적절하다고 생각되면, 그 다음으로 중요하게 고려해야 할 두 가지 요소는 서신의 길이와 문체이다. 길이는 언제나 간략한 것이 좋으며 에디터들은 간결한 전달사항을 좋아한다. 그들은 2가지 주제에 대한 2개의 장문의 서신보다는 10가지 다른 주제에 관한 10가지 단신을 출판하는 것을 선호한다. 자신이 독자라면 어떻게 반응할지 생각해 보자. 메시지는 언제나 간결할 때 더욱 효과적인 법이다. 일부 학술지들은 단어 개수, 참고문헌의 수, 또는 동반되는 표나 그림들에 대한 엄격한 규정을 '저자를 위한 지침'에 서술할 것이다. 분명하게 명시되지는 않지만 모든 에디터들은 '찰스 디킨스'보다 '레몬드 챈들러'를 선호한다. 다음의 똑같은 서신의 두 가지 서론을 비교해 보도록 하자.

친애하는 편집장님

8월호에 실린 피터 존스 박사 및 동료들이 쓴 교신에 관련해 이 편지를 쓰지 않을 수 없었습니다. 그 분들이 제시한 데이터가 잘못 해석됐을 가능성이 있다는 점을 독자들이 알기 바라는 마음에서입니다. 비록 훌륭하신 그 분들은 보체활성(류마티스성 관절염 및 기타염증성 질환) 분야에서 국제적으로 명성을 떨치고 계시지만, 이번 논문에서는 류마티스 관절염 환자 뿐 아니라 퇴행성 관절염 환자들의 무릎 관절에서 보이는 각기 다른 염증 수준을 적절히 통제하는 것을 빠뜨린 것 같습니다. 이런 무릎 관절의 염증은 국소검사나 체온, 누출, 윤활조직의 두께증가, 무릎 관절의 동통, 아침 기상시 관절의 경직이 얼마나 오래가는지, 경직으로 인하여 움직임이 제한되는 시간이 얼마나 되는지와 같은 요인에 점수를 매기고 평가해야 합니다. 또한 단독절대값 (알베르타에 로빈 쿡과 그의 동료들에 의해 검증[2])을 이용하거나 또는 염증이 발생하는 다른 측정값을 비교해야 합니다. 예를들어 관절액의 총 백혈구 숫자와 백혈구의 분율 혹은 프로스타글란딘 또는 류코트리엔 같은 다양한 아라키돈산 산물(arachidonic acid product)의 다양한 국소 관절액 수준을 …

(C 디킨슨 박사)

친애하는 편집장님

존슨 박사 등은 관절 낭액 연구에서 무릎의 염증 정도를 측정하지 않았습니다. 이같은 진단은 쿡 박사 등[2]이 요약한 6단계 임상 평가 시스템으로 평가했어도 됐을 것 같습니다. 혹은 다른 대안적 염증 측정 수단(세포 수, 프로스타글란딘 또는 류코트리엔)도 있습니다.

(R 챈들러 박사)

위 2개의 예제 모두 동일한 메시지를 전달한다. 그러나 두 번째가 훨씬 박력 있고 불필요한 서술이나 세부사항들을 제거함으로써 더욱 핵심적으로 서술했다. 어떤 종류의 과학 학술 글이든지 짧게 기술하고, 각 핵심은 따로 써야 한다. 즉 기존 연구에 대해 길게 서술하지 말고 짧게 요약하는 것이 좋다.

논문에 대해 쓰는 서신의 예절 및 문체

서신이란 같은 학술지에 이미 게재된 논문에 대한 논평의 형식을 취하는 것을 말한다. 경우에 따라서 다른 학술지에 실린 논문에 대한 것일 수도 있다. 서신은 글을 쓴 저자가 아닌 반드시 에디터에게 전달되는 것임을 유념한다. 이러한 경우 에디터는 저자들, 특히 갈등을 일으킬 여지가 있는 이들 사이의 중재자가 되는 셈이다.

서신의 목적은 주로 이미 발표된 선행연구의 이론적 근거, 방법, 분석 혹은 결론에 대한 지지나 비판(비판이 더욱 흔하다)을 하기 위함이다. 만일 비판일 경우, 명확하게 그리고 합리적으로 비판하거나 주제에 맞는 적절한 데이터를 제공해야 한다(표 11.2). 비판하고자 하는 논문에 이미 나와 있는 내용에 대해서 반복해서 서술하지 않도록 주의해야 한다. 또한 논문에 충분히 조명받지 못한 내용의 새로운 주장이나 다른 저자들의 언쟁을 지지하거나 반박하는 추가적인 정보를 제공해야 한다. 자신의 권위 혹은 사적인 동의나 반대를 제공하는 것은 바람직하지 않다. 무엇을 반박하는 것인지를 분명히하고 이에 대한 논리정연한 견해가 서신에 포함돼 있어야 하며, 편향된 의견을 막연히 전달하지 않도록 항상 자세하게 써야 한다. 합리적인 주장이 없는 일반적인 감상평('정말 훌륭한 글입니다' 혹은 '좋지않다고 생각합니다')은 받아들여지지 않는다.

비판을 하려면 언제나 전문가답게 그리고 예의 바르게 하도록 한다. 잘난척하거

표 11.2 논문에 응답하는 서신을 쓸 때의 지침

- 무례하거나 무시하는 태도를 보여서는 안되며 흥미를 표현한다.
- 형식적인 코멘트 보다 명확한 주장을 한다.
- 편견 없는 중립적인 의견을 전달한다.
- 원논문에서 다루었던 요소들을 반복하지 않는다.
- 주제에 대한 다른 관점이나 추가적인 데이터를 소개한다.
- 한가지 주장 혹은 명확한 핵심만 전달한다.
- 간결하게 쓴다.

나 무례한 말투를 자제함으로서 동료 연구자에 대한 기본적 예의를 지키는 것은 물론 본인의 명성도 높일 수 있을 것이다. 이는 구두 발표의 질문시간에도 적용 가능한 기본 원리이다. 아무리 그 사람이 선하다고 해도 무례한 비평자를 좋아하는 사람은 없다. 예의 바르고 절제된 질문의 코멘트는 예의를 갖추지 않은 코멘트보다 긍정적인 효과를 불러온다. 그 예로 아래의 서신을 비교해 보자. 두 서신은 모두 같은 요점을 말하고 있다.

친애하는 편집장님

존스 박사 등이 개발한 관절액에서의 보체 생성물(C3dg)에 대한 논문이 본 학술지에 게재될 수 있다는 사실에 매우 놀랐습니다. 첫째로, 존스 박사 등은 1 환자들의 무릎 염증 정도를 통제하는 것을 생략하였습니다. 관절액 연구2에서 이것을 통제하는 것이 얼마나 중요한지는 저희 연구팀이 이전에 이미 강조한 바 있습니다. 둘째로, 그들은 무릎관절액의 C3dg수치를 측정하려는 시도를 하지 않은 것 같습니다. 류머티스성 관절염이나 퇴행성 관절염을 앓는 환자군만 가지고 실험을 수행하였기 때문에 보체의 활성화가 피로인산나트륨성 관절염에서도 관찰되는 것이 아니라는 성급한 결론을 도출한 것에 대해 어이가 없을 따름입니다. 셋째, 그들은 정제 전 상태의 C3dg 농축액만 보고 관절액의 원 C3수치를 전혀 교정하지 않았습니다. 이 연구를 하기전에 연구원들이 시간을 내서 문헌고찰을 꼼꼼히 하였더라면 그러한 교정이 C3dg 수치 해석에 있어 매우 중요한 것이라는 사실을 깨달았을 것입니다. 이 논문의 가장 큰 오류는 저희 팀이 이 분야에서 수행한 중요한 연구를 인용하지 않았다는 것입니다.2 절대 논문 게재는 커녕 서신으로라도 받아들여지기 어려운 수준이어서 이 학술지의 정책과 상호검토 시스템에 의구심을 가지지 않을 수 없습니다.

(A 프랫 박사)

친애하는 편집장님

저는 존슨 등1이 개발한 관절액의 보체 생성물(C3dg)과 관련한 논문을 흥미 있게 읽었습니다. 저희 팀의 선행연구와 대조되게2, 보체 활성화가 피로인산염 관절질환의 특징이 아니라는 결론을 내렸더군요. C3dg의 평가 자체보다는 임상적인 정의와 C3dg 정도를 측정하는 방법이 달라서 이러한 불일치가 빚어진 게 아닐까 생각합니다. 존스 박사 등과 달리, 저희 팀은 선행연구에서 무릎의 염증 정도를 통제하였으며, 정상대조군도 포함했고 C3의 실제 농도를 이용 C3dg/C3의 비율을 교정하여 C3dg 농도를 보고하였습니다. 이러한 방법을 통하여 저희 연구팀은 임상적인 염증에서 보여지는 보체의 활성화를 관찰하였으나 진행이 중단된 피로인산염의 경우는 그렇지 않다는 것을 보여주었습니다. 심한 류머티스성 관절염에서보다 그 활성화 정도가 더욱 낮았습니다. 저는 염증 정도에 대한 임상평가, 건강대조군, C3 농도를 이용한 보정 등이 관절액 연구에서 향후 중요하게 고려되어야 한다는 점을 제안하고자 합니다.

(A 디플로맷 박사)

해당 논문의 저자에게 당신의 비판에 회신할 기회가 주어진다는 점을 잊지 말아야 한다. 사실 예의 바른 편지보다 무례한 편지에 답신을 보내는 것이 더 쉬우며, 서신을 보낸 이가 오류를 집어내었더라도, 그 핵심이 대립의 '소란함' 속에서 묻혀버리는 일도 일어날 수 있다. 예를 들어, 존스 박사는 답신의 초점을 상호검토 시스템을 옹호하는 데 맞출 수도 있다. 반대로 그는 커다란 압박을 느껴 플랫 박사가 제기한 문제를 회피할 수도 있다. 그럴 뿐만 아니라, 원저자에게 마지막 발언권이 한번 더 주어지는데, 엉뚱한 내용을 잘못 비판했더라도(실제로 일어난다!) 철회할 기회를 놓치고 그냥 출판되어 버릴 수도 있다. 그 후에 당신은 탐구 정신이 강한 지성인이 아니라 무례하고 무식한 사람으로 공공연히 조롱을 받게 될지도 모른다. 그 예는 다음과 같다.

에디터에게

디플로맷 박사의 논평에 감사드립니다. 그분이 제기한 문제들을 이미 고려해 보았습니다. 저희 연구에서 대상자들의 무릎은 임상적으로 모두 염증 소견을 보였기 때문에 상이한 염증 수치를 교정해야 할 필요성은 제기되지 않았습니다. 또한 저희는 정상대조군의 실험을 고려하였으나 임상연구윤리위원회의 승인을 받지 못했습니다. 저희 논문에서는 C3의 추정과 지적하신 C3dg/C3 비율도 분석도 (C4d와 팩터B 활성화에 대한 데이터와 함께) 포함했습니다. 하지만 이는 결과에 아무런 영향을 미치지 않았고, 저희 논문은 실증이 아닌 류마티스성 관절염의 C3 보체의 활성화 방법을 다루고 있으므로 검토 과정에서 전문 리뷰어들의 제안에 따라서 삭제하였습니다. 물론 저희도 플랫 박사 연구팀의 연구에 대해서 잘 알고 있으나 참고문헌의 제한 때문에 미처 인용하지 못했을 뿐입니다. 따라서 저희는 A 박사 연구진의 연구가 나오기 6년전인 어니스트 박사6 연구팀의 '정상, 류머티스성, 피로인산염 관절염 관절액에서의 C3dg의 농도'에 대한 최초보고를 인용하였습니다.

다른 형태의 서신

서신은 다수의 학술지에서 논문으로까지는 쓰지 않아도 되며, 간단한 간략한 요지를 게재할 적당한 지면이면 충분하다. 만일 연구에서 더 이상의 설명이나 참고문헌이 필요 없는 표준방법을 사용하였다면 특히 그럴 것이다.

연구

연구를 서신으로 제시하는 것은 마치 초록을 길게 늘여 쓰는 것과 유사하다고 볼수 있다(**표 11.3**). 이는 일반적으로 3개의 영역으로 나누어 지는데, 연구의 타당성과 목표와 관련한 서론 부분, 방법, 분석 결과를 설명한 결과 부분 그리고 마지막으로 결론 부분이다. 결론에서는 다른 연구들과 비교해 결과의 유효성과 중요성을 평가하고, 연구의 장점과 한계점을 강조한 뒤 앞으로의 연구방향을 제시한다. 간결하거나 확장된 보고서와는 달리 섹션 제목들은 필수가 아니며 초록도 필요하지 않다. 그러나 효과를 더하고 때로는 내용을 명확히 제시하기 위해 표제가 사용되는 경우도 있다.

데이터를 보고하기에는 썩 훌륭하지 못한 방법이라고 취급을 받지만, 서신은 짧은 보고에 꽤 적합할뿐만 아니라 영향력이 큰 학술지에서는 특히 권위가 있다. 자신의 초기 데이터를 서신으로 제시한다면 이것을 이용한 확장된 연구에 중복출판이 되

표 11.3 간결한 보고를 서신으로 제시하기

주제 소개
- 연구의 근거와 목표를 간략하게 소개한다.
- 방법과 결과를 제시한다.
- 설명의 길이를 줄이기 위하여 가능한 많은 참고문헌을 이용한다.
- 핵심적인 데이터만 포함한다.
- 가능하다면 표 또는 그림으로 데이터를 제시한다.

결론 제시
- 한 두개의 중요한 결론만 강조한다.
- 선행연구의 맥락에 맞게 결과를 제시한다.
- 연구의 주의점이나 장점을 강조한다.
- 앞으로 수행해야 할 연구는 해당 분야에서 제시한다.
- 데이터를 통해서 도출한 결론이 너무 멀리 나아가지 않도록 한다.
- 데이터나 결론을 반복하지 않도록 한다.
- 간결하게 쓴다.

지 않을지 주의해야 한다. 서신도 인용할 수 있으며 불필요하고 중복된 내용의 출판은 삼가야 한다.

사례 보고

　사례보고는 종종 서신의 형식으로 제시된다. 완전하거나 간결한 보고서로 적절치 않은 사례를 쓰기에 특히 더 적합하다. 특정한 사례보고 부분이 없고 아예 모든 사례보고를 서신으로만 취급하는 학술지도 있다. 대부분의 에디터들은 발병이나 진단, 그리고 치료에 새로운 통찰력을 주는 사례만을 출판하고 싶어한다. 두 질병을 가진 환자를 두고 6개의 서로 다른 사례를 보고한다면 이는 매우 진부한 원고를 생산하는 셈이 된다. 또한 원저를 통해 제대로 검증하지 않는 한 이런 현상이 우연인지 혹은 두 질병 사이에 어떤 연관성이 있는지에 대해 고찰하는 것 역시 어렵다. 짧은 보고서와 마찬가지로 사례보고는 짧은 서론, 사례에 대한 기술 그리고 흥미로운 점에 대한 고찰의 3부분으로 나뉘는 것이 좋으며 섹션 제목들은 없는 것이 좋다. 처음과 끝에 사례를 두 번 설명하지 않도록 유의해야 한다. 이것이 흔히 저지르기 쉬운 실수이다.

일반적이거나 정치적인 평

　일반적이고 정치적인 평은 주간 학술지나 전문학술지에서 주로 볼 수 있으며 이런 경우에 재미있는 코멘트도 허용된다. 그러나 각 문화권마다 허용하는 유머에 대한 개념이 다르다는 것을 항상 고려해야 한다. 서신은 특정 사례에 대한 관심이나 연구목적의 조사자료 혹은 DNA 저장소와 같은 용역을 제공하는 광고에도 사용될 수 있다. 이러한 광고는 짧게 작성해야 하며 보통 각주나 뉴스섹션의 형태로 제시되는 경우가 더 많다.

제12장 학술대회를 위한 초록을 준비하는 방법

로버트 N. 알렌

영국, 런던, 영국 왕립 의대

서론

당신이 수 년간 공들여 수행해낸 연구를 작은 상자 안에 초록의 형태로 요약해 넣는 일은 쉬운 일이 아닐 것이다. 하지만 당신의 연구를 보게 될 학회주최자의 입장에서 생각하는 것이 중요하다.

학술대회는 학회가 열리기 수년 전부터 이미 계획되었을 것이다. 강의와 심포지엄은 합의를 마친 후이며 많은 국내와 해외 연자가 초대되었고 학회장도 선정된 상태일 것이다. 학회 프로그램에는 구술 혹은 포스터로 초록을 발표할 수 있는 숫자가 이미 제한되어 있을 것이다.

초록의 선정

학술대회의 대부분은 수용할 수 없을 정도로 많은 초록이 제출되기 때문에 반드시 초록 선정과정이 필요하다. 패널 심사위원들은 각 분야의 전문가들로 구성되어 있는데, 제출된 초록을 심사해달라는 부탁을 받게 된다. 심사위원이 평가해야 할 초록의 양이 무척 많으므로 당신이 제출한 소중한 연구를 평가할 시간이 짧은 것은 당연한 일이다. 더욱이 회의를 주관하는 사무국은 많은 저자가 규정을 무시한채 길이가 긴 초록과 완성되지 않은 초록을 제출한다는 것을 이미 알고 있다. 그러니, 사무국에서는 출판지침에 부합하는 초록만을 수렴한다는 사실을 명심해야 한다.

초록을 온라인으로 제출하기

이제는 온라인 제출이 표준이 되었다. 학술대회를 개최하는 학회 홈페이지를 통해 보다 정확한 정보를 얻을 수 있을 뿐만 아니라 많은 학회는 초록제출을 위한 단독 사이트가 있다. 예를 들어서 영국 소화기내과 협회(British Society of Gastroenterology)의 홈페이지(http://www.bsg.org.uk, 2015년 5월 18일에 확인)는 학술대회 사이트로 바로 연결되는 링크가 있다. 온라인 준비와 제출을 위해서는 초록

코너를 클릭하면 된다.

온라인 제출 지침

온라인 제출에는 정해진 지침이 있으며 해당 연구분야가 어떤 것인지 그리고 연구의 제목, 저자명단, 기관, 주소 등을 적어야 한다. 그리고 페이지 여백과 글자 크기 설정을 변경할 수 없고 연구의 독창성이나 기존에 출판한 적이 있는지에 대해 반드시 밝혀야 한다.

재래식 우편제도 제출 지침

일부 학술대회는 여전히 우편으로 제출하는 것을 선호한다. 제출 지침이 성가시게 보일지 모르지만, 당신의 연구 사본을 고품질로 받기 위함이며 한번 제출된 초록은 더 이상 편집되거나 조판되지 않는다. 속도와 효율성을 높이기 위해 초록은 원본과 똑같이 인쇄된다. 그러므로 논문초록은 정해진 영역을 벗어나지 않도록 써야 하며 알맞은 서체와 고품질 레이저복사기를 이용하면 보다 완성도 높은 사본을 만들 수 있다. 카메라로 촬영한 초록의 복제는 철자법, 문법 혹은 과학적 사실에서의 오류가 그대로 복제가 된다는 것을 의미하니 주의를 기울여야 한다. 사진처리 과정이 초록의 질을 향상해 줄 것이라는 생각은 하지 않는 것이 좋다.

채점을 공평하게 보장하기 위해 저자와 기관의 이름이 생략된 익명의 사본으로 접수하기를 요구하는 경우도 많다. 초록 준비시간이 예상보다 오래 걸리기 때문에 제품 마감날짜에 항상 유의하며 적당한 수의 복사본을 보낸다. 만일 늦게 제출하거나 지침에 부합되지 않는 논문은 평가 없이 버려질 수 있다.

초록 제출은 일반적으로 네 가지의 분류로 나뉜다. 첫째, 해당 분야의 전문가가 심사위원으로 배정될 수 있도록 가장 적합한 분류를 명시한다. 둘째, 초록을 구두로 발표할지 혹은 포스터로 발표할지 표시한다. 셋째, 논문초록이 완전히 독창적인지, 혹은 다른 학술대회나 출판을 위해 이미 제출되었는지 반드시 언급해야 한다. 넷째, 정보를 빼놓지 않고 제공하도록 한다.

논문초록 준비

초록의 최종본에서는 삭제될 수 있지만 준비를 할때는 늘 서론, 방법, 결과, 결론 같은 제목하에 준비를 하는 것이 좋다.

제목

제목은 초록을 간결하게 요약한 것으로, 해당 연구가 중요하고 획기적이라는 것을 드러낼 수 있어야 한다. 연구의 핵심 특징을 규정하고 연결하여 제목이 메시지를 효율적으로 전달할 수 있게끔 한다.

저자

연구에 실제 기여한 이들을 저자에 포함한다. 만약 초록이 통과된다면 1저자가 발표하는 것이 관행이며, 초록을 발표할 저자를 언급해야 한다. 연구를 수행한 기관의 이름과 주소 및 연락 가능한 이메일도 포함되어야 한다. 예를 들어서 당신의 초록이 본 회의에 연구발표로 선정된다면 발표자가 유창한 영어를 구사할 수 있어야 하고 연구가 세션에 포함될 만큼 충분히 중요한지에 대해서 조직위원회의 확인이 필요하다.

배경

발표와 관련 있는 선행연구를 두줄 이하의 문장으로 요약하는 것으로 시작한다. 자신의 연구결과가, 그동안 논란이 되고 있었던 문제를 매듭짓는 데 큰역할을 했다면 이를 강조하는것이 좋다.

목적

연구의 중점이 무엇인가? 연구가 답하려는 가설은 무엇인가? 현재 연구는 이전 연구와 어떻게 다른가? 유용하고 흥미 있고 가치가 있는가? 새롭고 의미 있는 기여인가? 등에 대한 아이디어들을 두줄 이하로 정리하는 것은 시간과 연습이 필요하다.

환자

어떤 방법으로 선정했는가? 사전동의는 확실히 받았는가? 환자의 선정은 무작위였는가? 배제된 환자들의 이유는 무엇인가? 임상연구 윤리위원회의 승인을 거쳤는가? 에 대해 정확하게 확인시켜줘야 한다.

연구 방법

연구에 사용된 새로운 방법은 상세하게 설명해 독자와 검토자를 혼란시킬 수 있는 약어의 사용을 최소화한다. 사용한 통계분석 방법 또한 포함시킨다.

연구 결과

연구결과에는 환자들에 대한 데이터가 우선적으로 기술되어야 하는데 피험자 수, 성별, 나이, 추적조사의 양상, 추적기간도 포함돼야 한다. 그 다음으로 전체 연구에서 유의한 핵심 결과를 4줄 내지 5줄의 문장으로 요약해야 하는데, 모든 주장이 확실히 입증될 수 있도록 한다. 새로운 발견은 강조한다.

고찰

연구가 기존의 지식에 어떤 도움이 되는가? 이 새로운 결과들이 어떤 면에서 중요한가? 그 결과들은 우연히 일어난 것인가 아니면 통계적으로 중요성을 가지는가?

결론

왜 이 연구가 중요한가? 이 연구는 앞으로 어떻게 더 발전될 수 있나?

초안부터 최종안까지

긴 길이의 초록 초안을 200자 내외로 편집하는 일은 큰 도전이 될 것이다. 같은 내용의 중복 혹은 불필요한 내용은 삭제하며 다음의 세가지 의문점을 고려해 본다. 글자수를 줄여서 동일한 내용을 전달할 수 있는가? 초록의 길이가 여전히 길다면, 가장 중요한 결과물은 무엇인가? 일부 요지들을 삭제한 후 발표할 때 요점 제시가 가능한가?

초록은 최종안을 만들어내기까지 여러 초고를 반복하여 작성하게 되며 이는 많은 시간을 요구하기 때문에 미리 계획을 세우는 것이 좋다. 논문초록에는 자신의 연구가 요약되어 있어야 하지만 동시에 이를 살펴보는 심사위원들을 사로잡을 수 있는 '인상적인 부분'이 있어야 한다.

투고 지침을 거듭 읽어 이에 완전히 부합되는지 확인하고 제출 전 동료들에게 초안을 돌려 승인을 받는다.

최종 준비

이제 초록을 완성해 최종안이 준비되었을 것이다. 논문을 중복하여 제출하지 않는다. 동일한 연구로부터 비슷한 결과물을 남긴 2개 이상의 초록은 둘 다 거절당할 가능성이 높으므로 향후 조정이 가능한 이메일 주소를 남긴다.

성과

평가결과가 나오면 통과의 기쁨을 누리거나 거절의 아픔을 겪을 것이다. 아주 뛰어난 초록을 찾아보기 힘들듯이 아주 형편없는 초록도 보기드물 것이다. 대부분의 논문 초록 점수는 평균수치로 통과 혹은 거절 뿐이다. 통과의 기쁨을 감추는 겸손을 갖추고 거절의 아픔도 그저 통과하지 못했을 뿐이라는 생각으로 받아들이는것이 바람직하다.

데이터 발표하기

통과된 초록은 구두 발표를 하거나 포스터 형태로 만들어야 하는데 이 과정 역시 흥미롭다. 초록 제출은 학술대회에서 저자 중 한 명이 직접 논문을 발표하거나 포스터를 게재하는 것을 의미하며 논문초록을 나중에 철회하는 것은 개인은 물론 연구팀에도 오명을 남기는 일이다.

결론

철저한 준비없이, 완벽한 초록을 준비하는것과 실수없는 발표를 하는것은 불가능하다. 그렇기 때문에 새로운 과학발전을 위한 본인의 기여활동이 헛되이지 않도록 꼼꼼한 준비를 할 것을 추천한다.

제13장 사례보고 쓰는 법

마틴 닐 로소

영국, 런던, 신경 및 신경외과 국립병원, 런던 대학교, 신경학협회, 치매 연구 센터

근거기반의학의 위계상 단순사례 보고는 가장 하위에 위치하지만 특이한 증상, 부작용, 희귀병을 발견한 경우에는 그 자체로 좋은 학술자료가 될 수 있다[1]. 어떠한 사례를 보고할 것인가는 정해진 원칙이 없어 선별이 어렵다. 하지만 이러한 사례보고는 보다 상위의 근거 수준을 가지는 체계적 문헌고찰을 위한 가설의 실마리를 제공하기도 한다. 또한 각 사례보고는 널리 알려졌음에도 불구하고 간과되기 쉬운 중요한 사실을 다시 환기시켜주는 교육적 역할을 하기도 한다. 사례보고는 온라인 출판을 통한 지면부담을 가질 필요가 없고, 오픈액세스처럼 새롭게 도입된 모델에서는 저자들이 출판비용을 부담하기 때문에 그 수가 더 증가할 가능성이 높다. 많은 임상의가 그들의 첫 논문 출판을 사례로 보고하는 경우가 흔하다. 사실 많은 임상의사들은 너무나도 바쁘므로 사례보고의 작성은 연구팀의 가장 신입에게 넘기는 일이 흔하다. 사례보고를 쓰는 것은 쉽지 않으나 잘 쓰여진 것은 읽는데 기쁨을 준다.

사례보고를 왜 출판해야 하는가?

보고서의 근간이 될 수 있는 환자와 만나게 되면 왜 이 사례가 출판되어야 하는지에 대해 명확히 하는 것이 중요하다. 이런 습관은 본인의 글을 구조화시키고 목표 학술지를 선정하는데 도움이 되며, 에디터에게 보내는 커버레터를 작성할 때도 이용된다. 다음은 사례보고를 작성해야 하는 이유 중 일부이다.

매우 드문 희귀 질환

특정한 사례를 보고하는 이유로 학술지에 첨부편지를 보낼 때 병의 희귀성이 자주 인용된다. 그러나 희귀성 자체만으로 에디터들은 관심을 갖지 않는다. 희귀질환에 대한 정보를 늘려가고 경험하는 것은 일련의 사례들을 함께 모아 더 확대된 문헌고찰로 보고하는 것이 그 목적에 더욱 적합하다. 아무리 드문 희귀질환일 지라도 단순 사례보고 보다는 두 명 이상의 사례를 다룬 것이 훨씬 가치있다.

질병간의 연관성

이 또한 특정한 환자를 보고하기 위해 흔히 언급되는 이유이지만 이 사실만으로 흥미를 끌기는 어렵다. 연관성이 흥미를 갖기 위해서는 근본적인 인과관계에 대한 가설을 만들거나, 진단 혹은 치료에 특별한 시사점이 있어야만 한다.

더욱 흔한 질병의 드문 발표

흔한 질병이지만 매우 특이하거나, 이전에는 보고되지 않은 사례의 경우는 흥미가 있고 출판될만하다. 본인이 내린 진단을 통해 다른 식으로 설명이 가능한 진단을 배제하고 이를 논리석으로 질 설명하는 과정이 매우 중요하다.

특정한 성과 보고하기

예상치 못한 성과를 보고하는 일 또한 매우 가치 있는 일이다. 예를 들어서, 불치병의 예후가 우리의 예측과 달라 의외의 부작용이 발생하는 경우가 있다. 부작용은 출판된 많은 논문에서 적게 보고되는 경향이 있다. 이는 출판편향때문이며 원활하지못한 부작용보고로 사례보고에 대한 근거를 찾기 어려울 때가 많다. 그럼에도 이러한 사례보고들은 결국에는 좀 더 체계적인 연구의 방향을 제시하는 데 도움이 된다.

새로운 치료의 성과

근거중심의학에서 부적절한 사례보고의 방법의 하나는 특정 중재에 대한 환자 반응을 선택적으로 보고하는 것이다. 그 성과가 정말 뚜렷하지 않은 한, 대부분의 학술지들은 '치료적 중재의 단독 사례 보고'를 받아주지 않을 것이다. 예를 들어서 불치병으로 간주한 질병에 대한 치료라든지 플라세보를 사용했더라도 말이다.

실수와 교훈

대부분의 학술지는 사례보고 출판을 할 때 교육적 목적을 가장 중요하게 생각한다. 따라서 희귀한 질환의 발견보다 실생활에서 쉽게 접하는 문제가, 사례보고 출판에 더 적합하다고 볼 수 있다.

새로운 질병?

이는 사례보고의 이유로서는 아마 가장 드문 경우이나 출판을 해야 하는 가장 강력한 이유이기도 하다. 그러나 기존 사례 보고 주장들을 살펴보면, 허위로 판명 난 것이 흔하다.

학술지 선정

사례보고의 주된 이유를 결정했다면, 글을 쓰기 전에 가능한 학술지들을 고려하는 것이 좋다. 많은 경우 전문가 학술지를 목표로 삼아야 할 것이다. 사례보고는 학술지에 따라 다른 이름으로 분류하기도 한다. 해당 학술지에 출판된 사례보고를 철저히 읽어 본 후 투고지침을 주의 깊게 읽고 정확하게 지킨다. 사례 보고에 관련된 학술지의 규정들은 서로 다르지만 주로 1,000개의 단어로 제한하며 1~2개의 표나 그림이 첨가된다. 사례 보고를 규격화하는 문제가 대두하고 있으나, 아직 이루어지지 않았다[2].

사례 보고의 구조

대부분의 학술지는 초록, 서론, 본론인 사례 보고, 고찰, 참고문헌의 순서로 진행되거나 결론을 요구할 경우 규격화된 포맷을 따라야 한다. 그러나 사례 보고는 질병의 사례이고, 환자들은 인간임을 잊지 않는 것이 중요하다.

모든 학술지가 초록을 요구하는 건 아니지만, 이 부분이 가장 쓰기 어렵다. 글의 본문을 다 쓴 다음 무엇을 보고했으며 왜 했는지를 요약해서 매우 짧은 단 하나의 문장으로 쓰는 것이 좋을 것이다. 사례보고가 서신의 형태라면, '극도로 보고가 드문 증상을 보인 38세의 남성을 보고합니다……'라는 식으로 시작하는 것이 흔하다.

서론은 왜 이 사례를 보고하는지로 시작해야 하는데, 짧은 이론적인 배경설명을 곁들인다. 이 부분에 짧은 문헌 조사를 넣는 저자들도 일부 있는데 이는 고찰에서 다루는 게 더 낫다.

임상적인 세부사항들의 공통적인 형식은 현재 나타나는 특징들, 병력, 사회생활력, 가족력, 약 복용 이력을 제시하는 것이다. 그다음으로 이학적 검사, 임상적 평가, 감별진단, 치료, 그리고 결과가 뒤따른다. 그러나 이 정보들을 연대순으로 제시하는 것이 중요하고, 하나의 이야기가 되어야 한다. 그러므로 현재 나타나는 특징들, 병력, 사회생활력, 가족력으로 배경을 설정하고 글이 전개됨에 따라 필연적으로 증상, 증후, 조사를 그 후에 배치하여 상세하게 쓰는 게 좋다. 특수용어의 사용을 피하고 약자나 축약어를 사용했을 경우 본문에 그 뜻을 설명해 주어야 한다는 점을 잊지 말도록 한다. 더불어 모든 검사실 결과의 정상치를 제공해야 하는데 중요한 음성결과는 병력, 검사 및 조사와 같은 모든 영역에 언급되어야 하지만 전달하고자 하는 메시지가 필수적일 때만 하도록 한다.

환자의 신분은 가능한 익명을 유지해야 하지만 결코 뜻대로 되지 않는다. 관련 없는 이니셜은 널리 사용되지만 이름과 이니셜의 사용을 피해야 한다. 신경심리 분야의 연구들은 1명의 환자를 대상으로 한 사례보고가 많은데 이런 경우 더욱 조심해야 한다. 코드로 변형한 이니셜의 확인은 한 환자가 복수의 논문에 관련되어있을 경우 교차 참조에 도움이 된다. 필수적이지 않은 신상정보는 삭제해야 한다.

결과는 표로 간결히 정리하는 것이 좋으며 임상증상 사진이나 방사선 사진이 매우 유용할 수 있다. 익명성을 지키기 위해 환자의 얼굴을 컴퓨터 작업으로 가릴 수 있으며 피험자의 동의를 받은 경우에 한해 해당 피험자의 사진을 개재할 수도 있다(아래 참조).

고찰은 핵심 주제들을 분명히 하는 데 이용되고 다른 사례들이나 관련 학술문헌을 요약해 인급히기 가장 좋은 부분이다. 그러나 사례 보고는 문헌을 광범위하게 논평하는 수단은 아니다. 문헌 조사를 한 부분에서는, 간략한 연구방법과 요약된 최종 메세지 및 저자의 주장이 반드시 입증되어 있어야 한다.

의학논문의 작성이 처음이라면 작성 초기에 조언을 받는 게 중요하며, 특히 핵심 메시지와 해당 사례보고를 쓰는 경우 그 중요성이 더욱 강조된다. 그 방법에는 지인들에게 부탁해 읽어보게 하는 것이 좋으며, 환자의 치료와 관련되지 않은 이들이 특히 도움된다. 그 이유는 해당 사례를 너무 가까이서 지켜보다 보면 중요한 포인트를 못 보고 지나치기 쉽기 때문이다.

동의

출판하기 위해서는 환자의 동의가 필요하다. 이는 필수적인 것으로 대부분의 학술지는 자신만의 동의서를 갖고 있다. 그래서 대다수의 학술지는 동의서가 동반되지 않으면 글을 검토대상으로 보지도 않는다.

하지만 그렇지 않을 경우 다른 학술지에 나온 동의서를 표본으로 삼아서 스스로 만들어내야 한다. 유럽에서는 'EU 사생활 보호법'에 따라 1급 정보를 사전동의없이, 인쇄물 혹은 온라인에 출판하는 행위를 불법으로 간주하고 있다. 사진이나 개인적인 신상정보가 제공되지 않는 한 동의를 받을 필요가 없다고 생각하는 것은 잘못된 생각이다. 완벽하게 익명으로 유지하기는 것은 매우 어렵고 특히 개인 사례보고의 경우 확연하게 드러나므로 익명보호가 불가능하다. 그러므로 사례보고 작성의 초기에 환자에게 사례보고를 작성하는 것에 대해 미리 동의를 구하는 것이 중요하다. 환자는 자신의 이름·사진을 노출하지 않고 최소한의 개인정보만 이용되는 것을 알면 대부분 동의해 준다. 환자에게 최종 원고의 복사본을 보내는 것이 좋은 습관이며, 이를 통해 환자의 동의를 받아냈음을 인증할 수 있다.

환자가 사망을 했더라도, 제일 가까운 친족에게 동의를 구해 환자신상정보에 대한 기밀유지에 대한 의무를 다한다. 때로는 환자가 이사를 했거나 너무 오래전에 만난 후 연락이 닿지않아 동의를 구하기 어려운 경우가 있고, 저자가 두 가지 사례를 보고하는 과정에서 기간이 길어져 동의를 구하지 못하는 상황도 있다. 이런 종류의 원고를 출판하는 일이 비록 흔한 일은 아니지만 그럼에도 불구하고 엄격한 요건을 만족해야만 한다. 우선 공익을 도모하는 출판이어야 하며, 그러한 충족요건이 채워지지 않으면 사례보고를 쓰면 안된다. 두 번째로, 그 환자나 환자의 가장 가까운 친족과 접촉하려는 모든 노력을 해야 한다. 세 번째로, 사례보고를 익명화하는데 모든 노력을 기울여야 한다. 네 번째로는, 저자 스스로 확신을 가져야 한다.

또한, 저자는 환자의 치료와 관련된 다른 임상의로부터도 출판 동의를 구할 것을 고려해야 한다. 보통 이들은 공동저자들을 의미한다. 환자의 치료와 관련된 주된 임상의로부터 동의를 구하는 것이 중요하며, 제출 전 그들이 복사본을 볼 수 있도록 해야 한다.

저자 자격

학술지들은 저자 자격에 대한 지침을 제공한다. 해당 환자를 치료한다는 단순한 사유로 저자 자격이 주어지지는 않으며, 사례보고 자체에 지적기여를 해야만 한다. 환자의 치료에 관련한 다수의 임상의가 '감사의 글'에 오를 수는 있다. 하지만 자신들이 관련되어 있음과, 이 란에 오르는 것을 승인했음이 확인가능한 서신제출을 요구하는 학술지들도 존재한다는 점을 유의해야 한다. 많은 인원의 저자를 포함하는 것은 피해야하기 때문에 대부분의 학술지가 서신, 교육, 이번 주의 사진과 같은 란에는 저자의 수를 제한하기도 한다.

제출하기

제출 전에, 출판에 합당한 동의와 승인을 전부 얻었는지 다시 확인한다. 해당 학술지 웹 페이지에 기재된 지시와 지침을 전부 따랐는지도 확인해야 하는데, 글의 길이와 그림의 수·형식에 특히 신경 쓰도록 한다. 사례보고를 제출할 때는 별도의 커버레터를 반드시 제출해야 하며 학술지 편집자들은 이를 중요하게 여긴다. 커버레터는 간결해야 하며 왜 이 사례보고가 중요한지를 잘 설명해야 한다. 행운을 빈다!

참고문헌

1. Vandenbroucke JP. In defence of case reports and case series. Ann Intern Med 2001;134:330–4.

2. Sorinola O , Olufowobi O, Coomarasamy A, Khan KS. Instructions to authors for case reporting are limited:a review of a core journal list. BMC Med Educ 2004;4:4.

제14장 리뷰 논문 쓰는 법

폴 글래스지오우

호주, 퀸즈랜드, 본드 대학, 임상지침연구소(CREBP)

의학연구논문의 수가 증가함에 따라 리뷰 논문을 쉽게 접할 수 있게 됐고, 지금은 잘 알려진 출판의 한 형태로 자리잡게 되었다[1]. 2011년 메드라인에 있는 출판 종류에 '리뷰 논문'으로 명시된 70, 글이 70,000개가 넘게 태그되어 있다. 이 중 약 4,200개가 '체계적 고찰'(메드라인은 연관 있는 명칭인 메타분석이라고 부름)로 태그 되어 있다. 주의 깊고 비판적인 검토를 할 수 있는 능력은 모든 연구자에게 있어서 필수적인 기술이다.

리뷰 논문 쓰는 '법'을 질문하기 전에, '왜' 그것을 써야 하는지를 먼저 묻는 것이 현명한 것이다. 리뷰 논문을 쓰는 주요한 이유는 최근 중요한 이슈에 관련해 발표된 연구논문 중에, 가치있는 내용들을 체계적으로 정리·제시하기 위해서이다. 리뷰 논문에 대한 이 단순한 정의의 세가지 중요요소를 이 장에서 상세하게 언급하고자 한다.

1. 문제들 또는 리뷰 논문에서 제기된 질문
2. 그 문제들의 답과 관련된 최우수 연구들을 찾고 선정하는 방법
3. 발견된 이질적인 연구들을 비교하고 통합하는데 사용하는 방법

주제와 해답을 찾아나갈때까지 '예비 단계에서 논문을 자세히 살펴볼 것, 같은 분야의 사람들과 토론을 거칠 것, 혼자만의 시간을 통해 충분한 고민을 해볼 것'과 같은 심사숙고의 과정이 필요하다. 리뷰 논문 쓰기로 바로 넘어가고 싶은 유혹을 느끼겠지만, 중요한 문제를 규명해내는 일에 투자하는 시간은 항상 유익하다[2]. 방법 중의 한 가지는 '왜'라는 질문을 5번 해보는 것이다. 왜 그 질문에 대한 답이 중요한지 자문하도록 한다. 본인이 제기하려는 문제의 원인과 결과가 무엇인지 보여주는 인과관계를 나타낸 화살표 도표에 자유로운 도식을 그려보는 것도 좋은 방법이다. 그 다음 참고문헌과 연구논문들을 찾아 각각을 연관시키면 도식이 확대되거나 수정될 수 있다. 이를 몇 번 되풀이하다 보면 리뷰 논문에 초점을 맞추는 안정적인 도식을 얻을 수 있을 것이다.

그러나 작은 문제들이 계속 되풀이되기 때문에 리뷰 논문은 절대 '완성'될 수 없는데, 고찰과정에 여러 문제가 지속적으로 발생하기 때문이다. 예를 들어 콜레스테롤의 감소가 뇌졸중의 위험을 줄이는지 아닌지를 물어본다면, 다음으로 환자들의 소집단에 대해 생각할 것이고, 콜레스테롤을 감소시키는 여러 방법에 대해 생각할 것이고, 그 기전과 필요한 치료 기간에 대해서도 궁리하게 되는 등 그 연결가지는 끝이 없다. 더 넓은 범위를 밑바탕으로 그린 다음 가장 필수적인 문제들로 그 범위를 좁혀가는 것이 최상이다.

내용과 포맷

리뷰논문 작성법을 알아보기 전에, 우수한 리뷰 논문이란 무엇인지 먼저 이해하는 게 좋을 것 같다. 리뷰 논문에는 몇 가지 다양한 형식이 존재하는데, 각각의 형식은 아래와 같다.

i) 특정 가설에 대한 해답을 얻기 위한 방식으로, '콜레스테롤 저하제인 스타틴이 실제로 뇌졸중이 발생할 확률을 줄이는가?' 또는 'B타입의 항이뇨호르몬 펩타이드가 심부전을 정확히 진단하는가?'

ii) 여러 관련 있는 소재들을 하나의 가설로 다루기 위한 방식으로, '어떤 치료가 뇌졸중이 발생할 확률을 줄이는가?' '심부전의 진단에 있어서 ECG, B타입 나트륨뇨 배뇨항진 펩타이드, 흉부 엑스레이의 소견은 어떠한가?'

iii) 특정 질환에 대한 '진단 과정'(Rational Clinical Examination에 관한 JAMA시리즈가 [3, 4]번이 좋은 예가 되겠다) 등에 관한 주제 검토

어떤 타입이든 간에, 체계적 문헌검토와 비체계적 문헌검토는 확실한 차이점이 있다. 이 차이는 학술문헌을 파악하는 방법에 크게 좌우된다. 비체계적 문헌검토는 우연히 수년에 걸쳐 수집한 논문들이나 동료들이 언급했던 논문을 인용하는 반면에 체계적 검토는 질문제기로 시작한다. 그리고 해당 질문에 답하기 위해 활용 가능한 기존 논문들을 체계적으로 추적한다.

안타깝게도 그런 체계적 문헌고찰의 예는 상대적으로 그리 많지 않다. 1998년에 6가지의 일반 의학 학술지들에 실린 논문 리뷰들을 확인해본 결과, 4분의 1도 안 되는 리뷰들만 문헌검색과 검증 후 선별에 대한 사항을 기술했다. 그리고 3분의 1만 명백한 가설을 가지고 임상적 주제를 다루었으며, 오직 절반만이 임상적 의의를 서술하고 있었다[5].

이미 널리 알려진 우리의 지식수준에 더하여 편향되지 않은 적절한 견해를 독자에게 전달하기 위해서는 공정하게 우수문헌을 고찰하는 것이 중요하다. 연구를 통

해 특정한 질문에 답할 때는 두 가지 문제가 일어난다. 첫째, 편견은 문헌검색 과정 중 어떠한 문헌을 취사선택할 것인가를 결정하는 과정에서 일어날 수 있다. 따라서 이를 최소화하기 위한 검토 방법으로, 최소한의 편견으로 조사자료를 확인하고 사용하려고 노력해야 한다. 문헌검토를 체계적으로 하지 않는다면, 자신이 마음에 드는 연구결과를 선택할 위험과 정확한 정보가 아닌 우연히 얻은 정보를 자료를 쓸 요지가 있다. 그렇기 때문에 제기된 질문에 대해 답하는 과정에 편견이 작용할 가능성이 높아진다. 둘째, 많은 연구들이 적은 표본 수로 인해 2종 오류를 일으킬 위험이 있다. 이는 통계적 검증을 하기에는 파워가 작아서 중요한 효과를 발견하지 못한채, 어떤 치료나 요인이 아무런 영향을 미치지 않는다고 결론 내리는 것을 의미한다. 메타분석은 이러한 연구들을 결합함으로써 더욱 큰 통계적 파워를 획득하는 데 도움이 된다.

　단독 문제에 대한 체계적 문헌검토를 하기 위한 일반적인 포맷은 대부분의 연구 논문 작성에서 쓰이는 포맷과 같다. 즉 서론, 연구 방법, 연구결과, 고찰(Introduction, Methods, Results, Discussion) (IMRAD – 1장부터 5장까지 참조)이다. **표 14.1**에서 각 단계에 나올만한 구성 요소들을 확인할 수 있다. 다른 타입의 리뷰 논문에는 이렇게 단순한 IMRAD구조가 맞지 않을 수 다. 하지만 리뷰 논문을 발전시키고 쓰는데 있어서 이를 개별적으로 고려해볼 만한 가치가 있는데, 심지어 최종 구조가 이와 다르게 변형이 된다 할지라도 여전히 가치가 있다. 하지만 리뷰 논문은 쉽게 읽혀져야 하며, 가독성을 위해 IMRAD에서 탈피해야 할 수도 있다. 그래도 다음에 언급하는 요소들을 반드시 포함하도록 주의해야 한다.

표 14.1 체계적 문헌검토 보고의 구조

부분	내용
서론	문제 및 리뷰 논문에서 제기한 특정한 질문들을 설정
연구 방법	조사 및 평가 과정에 대해 기술 확인된 연구의 개수나 요건을 갖춘 연구의 개수를 기술
연구결과	요건을 갖춘 연구의 질과 그 결과를 기술
고찰	알아낸 점과 그의 한계 및 실행과 연구의 의의를 요약

검토 과정

　우수한 체계적 문헌검토를 위한 단계와 목표는 **표 14.2**에 나와 있으나, 비슷한 원리들과 과정이 모든 타입의 검토에 적용된다고 할 수 있다. 이 장에서는 각 타입에

표 14.2 체계적 문헌고찰내의 단계

단계	과정
연구할만한 질문 진술하기	대답 가능한 PICO 질문들을 설정하기
관련 있는 주요 연구들 찾기	데이터베이스와 조사 용어
질을 평가하고 데이터 추출하기	연구를 선정하는데 사용된 질 평가기준과 데이터 추출
종합	해석 및 결과 결합 방법
해석	임상적이거나 혹은 연구문제와의 맥락에서 또는 예전 리뷰 논문에 의해 설정

대해 간략하게 언급하고 더 상세한 설명들은 본문 곳곳에 언급되어 있어 참고가 가능하다[6~9].

질문 발표하기

연구질문을 세분화하면 도움이 될 것이다. 치료에 관련한 질문에는 환자 그룹을 확인하고 이해관계를 중재하며, 적절한 비교와 합당한 결과측정(PICO)을 묘사하는 것이 일반적인 형식이다. 예를 들어서,

　P: 뇌졸중이나 일과성 뇌허혈증의 병력이 있는 환자들에서,
　I: 스타틴의 효과를 비교했을 때, 예방 차원에서
　C: 어떤 콜레스테롤 저하 치료도 받지 않고,
　O: 뇌허혈성 뇌졸중에 걸릴 확률,

　P: amyloid precursor protein(APP) 뇌허혈증(Tg)에 걸린 쥐의
　I: 스타틴 비교했을 때
　C: 어떤 치료도 감소하지 않을 때,
　O: 신경혈관의 단위에 변화를 일으키는가?

등이다.

이것은 인위적으로 보일지는 몰라도 제기된 문제를 명확히 하기 위한 좋은 원칙이다. 치료와 관련한 주제가 아닐 때는 이같은 구조를 잘 적용하지 않지만, 진단적

질문에는 다음과 같이 적용된다. 'T'는 지표평가와 예후를 위한 것, 'I'는 지표이다(혹은 좀 더 전통적으로 PECO 방법).

질문에 대한 본격적인 조사를 하기 전 최근 리뷰논문이 있었는지 우선적으로 확인해야 한다. 그러나 대부분의 체계적 문헌검토가 '메드라인' 같은 사이트에 태그되고 있지 않으므로 '검색필터'를 사용하는 것이 최선이다. 몇 가지 좋은 대안이 지금까지 개발되었는데[10], 그 중 타당도와 민감도가 높은 방법 하나를 소개하겠다.

> Medline [tiab] OR (systematic [tiab] AND review [tiab] OR meta-analysis [ptyp] OR CDSR[so].

(참고: MeSH에서, 의학 주제 머리말(Medical Subject Headings) [tiab]은 '제목 혹은 초록'을 의미하며, [ptyp]은 '출판 형태', [so]는 '자료제공 처'나 '학술지'를 의미한다)

연구 찾기

초점을 맞춘 연구주제의 체계적 문헌검토는 사용된 검색방법을 확실히 설정해야 한다.

이상적으로는, 검색 방법의 기술이 최종 보고에 포함되어 있어야 하며 검색한 데이터베이스와 검색에 사용한 용어를 짧게 언급해야 한다. 주제에 따라 사용된 데이터베이스가 다를 것이다. 대부분의 임상적인 주제에 있어 '메드라인'이 분명 가장 중요한 사이트이기는 하나 EMBASE나 CINAHL같은 기타 사이트들도 참조할 수 있다.

적합한 검색용어를 만들어 내려는 지침으로 해당 질문의 PICO 요소들을 사용하면 도움이 된다. 보통 몇 가지의 연구결과에 관심을 가지므로 P와 I가 핵심 요소들이다. 일반적인 과정은 다음과 같다. P와 I 요소를 위해 동의어를 생각해 낸 다음 OR과 결합한다(AND와 함께). 각각의 동의어를 생각해내기 위해서는 본문 단어와 MeSH 용어들을 동시에 고려한다.

검색 작업량을 줄이기 위해서는, 각각의 연구 문제에 최상의 조사 타입을 찾는 데 목표를 둔 '방법론적인 필터'(methological filter)가 유용한 기술이다. 이것의 좋은 예를 메드라인으로 진입하는 PubMed의 인터페이스 상에서 볼 수 있는데, 명칭이 '임상 문의 툴'(Clinical Quaries Tool)이다. 이것은 실험에 근거한 5가지 종류의 질문에 유출된 필터들을 제공한다. 즉 원인, 진단, 치료, 예후, 진단예측이다. 사용된 상세한 용어들과 이유에 대해 더 알고 싶으면 '임상 문의하기' 페이지에 링크되어 있는 '필터 테이블'을 보면 된다.

검토시 누락된 연구들을 다 찾아내기 위하여, 이러한 연구들을 포함할만한 키워드를 점검하여 검색시 보강을 하거나 다른 논문에서 인용한 참고문헌 목록을 살펴보는 것도 도움이 된다. 이것은 해당 문헌을 인용한 또 다른 문헌이 어떤 것인지를 해당 논문을 찾게 해주는데, Web of Science, Scopus 또는 Google Scholar를 이용하면 된다.

연구의 질 평가하기

검토 과정의 핵심은 다양한 연구 가운데 우수한 연구를 선별해 이를 바탕으로 정확한 연구 결과를 이끌어내는 것이다. 이를 이루기 위해서는, 각 종류의 질문에 어떤 근거자료가 가장 가치 있게 활용될 수 있는지를 알 필요가 있다. 선별의 첫 번째 요소는 전체적인 연구설계(임상연구, 코호트 연구, 사례보고)이다.

표 14.3은 각 임상연구의 근거 수준을 보여준다. 이것은 문헌검색에 있어서 문헌의 선별을 용이하게 하는 일단계 관문이다. 이는 높은 수준의 연구를 바로 찾을 수 있어, 시간을 아끼는데 도움이 된다[11].

표 14.3 문헌의 근거 수준

수준	개입	진단	예후	병인학
I	레벨 II 연구의 체계적 문헌검토	레벨 II 연구의 체계적 문헌검토	레벨 II 연구의 체계적 문헌검토	레벨 II 연구의 체계적 문헌검토
II	무작위 배정 비교 임상연구	추적관찰 중 환자의 횡단적 연구	개시 코호트 연구	전향적 코호트 연구
III	다음중의 하나: 비 무작위 배정 실험연구(예를 들면 통제 전후의 중재 연구), 동시발생 통제그룹과 대조군을 가진 (예를들어 코호트연구, 환자 대조군 연구) 비교 임상연구 (관찰적 연구)	다음중의 하나: 장기추적이 없는 횡단적 연구, 진단상의 환자 대조군 연구	다음중의 하나: 무작위 배정 비교 연구안에 비중재 환자, 후향적으로 모인 코호트 연구	다음중의 하나: 후향적 코호트 연구, 환자 대조군 연구(메모: 이것은 병인학에서 가장 흔한 연구 타입이다. 하지만 다른 옵션의 중재연구를 위해서는 레벨 III를 참조한다).
IV	사례보고	사례보고	사례보고, 혹은 여러 질병단계를 동시에 포함한 코호트 연구	횡단적 연구

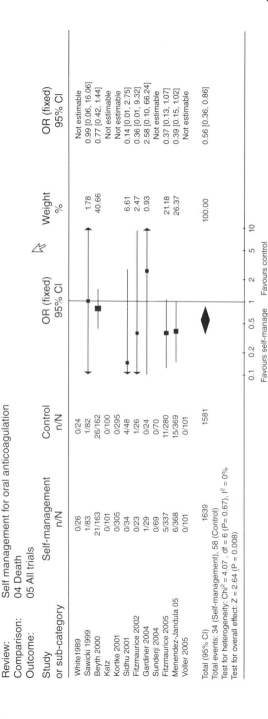

그림 14.1 Meta-analytic 'forest plot'

(Reprinted from the Lancet [14] Heneghan C, Alonso-Coello P, Garcia-Alamino J, Perera R, Meats E, Glasziou P. Self-monitoring of oral anticoagulation: a systematic review and meta-analysis. 2006;367:404-11. Copyright © (2006), with permission from Elsevier. Updated by Rafael Perera.)

표 14.3를 지침으로 삼으면 주의 깊게 읽어야 할 문헌의 숫자를 줄여줌으로써, 상당한 시간을 아낄 수 있다. 그러나 가끔은 단 한 건의 사례보고가 치료 효과에 대한 설득력 있는 증거가 되는 경우도 있음을 유의한다[12].

통합

모든 연구가 동일한 결론에 도달하는 경우는 드물기 때문에 해결 수단이 필요하다. 그러나 어떤 주제의 연구가 더 많은지 단순하게 훑어보고 정하는 것은 위험한 행동인데, 이는 대규모로 수행된 연구와 규모가 작고 근거 수준이 낮은 연구에 동일한 비중을 주기 때문이다. 스트렙토키나아제의 최초 체계적 문헌검토를 예시로 들 수 있다. 첫 번째 체계적 문헌검토에서 심근경색을 치료하기 위한 24건의 개별실험에서 겨우 5건만이 통계적으로 의미가 있었다. 그 이유는 대부분의 실험 규모가 작고 그 효능을 감지하는 통계적 파워 역시 작았기 때문이다[13]. 그러므로 메타분석을 수행하는 것이 이 문제를 해결하기 위한 이상적인 방법이다. 그러나 규모가 크고 근거 기준이 높은 연구에 우선순위를 두고 이것을 다른연구와 대조해 보는 것도 대안이 될 수 있다.

하지만 규모가 큰 연구가 좋은 것만은 아니다. 예를 들어서 응고요법의 자기점검에 대한 체계적 문헌검토에서[14] 개별 연구에서는 사망률에 있어 유의한 차이가 없었음에도 메타분석을 통해서 이러한 효과를 결합하면 통계적으로 유의한 차이를 보여줄 수도 있다. 표 14.1은 전형적인 메타분석의 'forest plot'을 보여주는 데, 한 연구가 통계적으로는 유의하지 않았으나 오즈비 1의 중앙선을 넘어가 있는데, 모든 연구를 결합한 효과 크기는 오즈비 1을 넘지 않았지만, 통계적으로 유의하다. 물론 전체적인 효과 크기뿐 아니라 개별 연구의 효과 크기를 이렇게 모두 제시해주는 것은 독자들에게 매우 유용하다.

물론, 이렇게 단순히 산술적 결합만 하여 메타분석을 하는 것이 아니라 질적 분류를 통하여 체계적 문헌고찰을 하는 것도 가능할 것이다[15]. 여기서 중요한 것은 본인의 선호에 따라 문헌들을 취사선택하는 것이 아니라 근거 수준이 높은 우수한 연구들만을 근거로 삼아야 한다는 것이다.

결론

결론적으로 논문 리뷰 과정은 다음과 같이 요약될 수 있다. 즉, 편향된 의견을 가지기 전에, 모든 연구 문헌들을 체계적으로 수집하고 비판적으로 분류한 뒤에 본인이 설득력 있도록 이를 기술하는 것이 좋다.

참고문헌

4. Bastian H, Glasziou P, Chalmers I. Seventy-five trials and eleven systematic reviews a day:how will we ever keep up? PLoS Med 2010;7(9):e1000326.

5. Booth WC, Colomb GG, Williams JM. The craft of research, 2nd edn. 2003 Series:Chicago Guides to Writing, Editing, and Publishing. Chicago, IL:The University of Chicago Press, 2003.

6. McGee S, Abernethy WB 3rd, Simel DL. The rational clinical examination. Is this patient hypovolemic? JAMA 1999;281:1022–9.

7. Sackett DL. The rational clinical examination. A primer on the precision and accuracy of the clinical examination. JAMA 1992;267:2638–44.

8. McAlister FA , Clark HD, van Walraven C, et al. The medical review article revisited:has the science improved? Ann Intern Med 1999;131:947–51.

9. Glasziou P, Irwig P, Bain C, Colditz G. Systematic reviews in health care:a practical guide. Cambridge, UK:Cambridge University Press, 2001.

10. Khan KS, Kunz R, Kleijnen J, Antes G. Systematic reviews to support evidence-based medicine. How to review and apply findings of health care research. London:RSM Press, 2003.

11. Mulrow C, Cook D. Systematic reviews :synthesis of best evidence for health care decisions. Philadelphia:American College of Physicians, 1998.

12. Higgins JPT, Green S, eds. Cochrane Handbook for Systematic Reviews of Interventions Version 5.1.0 [updated March 2011] . The Cochrane Collaboration, 2011. Available at:http:// www.cochrane-handbook.org (accessed 25 July 2012).

13. Montori VM, Wilczynski NL, Morgan D, Haynes RB, Hedges Team. Optimal search strategies for retrieving systematic reviews from Medline:analytical survey. BMJ 2005;330:68.

14. Glasziou PP, Vandenbroucke J, Chalmers I. Assessing the quality of research. BMJ 2004;328:39–41.

15. Glasziou P, Chalmers I, Rawlins M, McCulloch P . When are randomised trials unnecessary? Picking signal from noise. BMJ 2007;334:349–51

16. Stampfer MJ, Goldhaber SZ, Yusuf S, Peto R, Hennekens CH. Effect of intravenous streptokinase on acute myocardial infarction:pooled results from randomized trials. N Engl J Med 1982;307:1180–2.

17. Heneghan C, Alonso-Coello P, Garcia-Alamino J, Perera R, Meats E, Glasziou P. Self-monitoring of oral anticoagulation:a systematic review and meta-analysis. Lancet 2006;367:404–11.

18. Lucas PJ, Baird J, Arai L, Law C, Roberts HM. Worked examples of alternative methods for the synthesis of qualitative and quantitative research in systematic reviews. BMC Med Res Methodol 2007;7:4.

제15장 서평 쓰는 방법

마크 W. 데비 / 루크 A. 자딘

호주, 퀸즈랜드, 로얄 브리즈번 여성 병원, 신생아학

서론

의학 학술지들은 텍스트북을 평가해 달라고 자주 요청하며, 대부분 학술지에는 서평 코너가 있다. 서평은 대체로 의학 학술지의 공간을 채우는 용도로 쓰인다. 의학 학술지에 긍정적인 서평이 실리는 것은 교과서의 판매를 증가시키는데 도움이 되기 때문에, 의학 출판사들은 학술지에 서평이 실림으로써 독자들로부터 주목받길 원한다.

목적

서평의 목적은 최근에 출판된 도서를 예비독자들에게 소개하는 것이다. 서평에는 책의 내용과 독자의 의견이 전달되어야 하며 특히 다양한 독자들에게 책의 질과 유용성을 알게 해주어야 한다. 추천자의 목표 중 하나는 독자에게 책을 알리고 그것이 구매할 가치가 있는가를 결정할 수 있도록 해주며 자기 자신, 직장, 혹은 직장동료와 학생들, 그리고 지역 도서관에 추천하게끔 하는 것이다. 서평은 신판을 준비하는 교과서 에디터들과 저자들에게도 도움이 될 수 있다.

과정

학술지는 의학출판사로부터 받은 책의 검토를 위해, 서평을 써줄 저자를 찾는다. 해당 학술지의 편집위원회나 동료평가를 하는 여러 리뷰어들도 이러한 예비 저자의 대상이 되며, 여러 독자 중 한명이 가장 이상적인 저자가 될 수 있다. 전문 교과서는 해당 분야의 전문가들이 검토해야 한다. 교과서를 평가해 달라는 부탁을 받았다면, 그 책이 자신의 해당 분야에 속하는지를 확인하도록 한다. 그러나 가끔은 좀 더 넓은 관점에서 보는 게 정당할 수도 있으며 특히 해당 책이 일반적인 독자층을 겨냥한 책일 경우, 관점에 더욱 신경써야 한다. 만약 책이 자신의 전문성이나 범위에서 벗어나면 제안을 거절하고, 이해관계의 충돌이 일어나면 학술지에 통고한다.

일단 서평을 써달라는 부탁을 수락하면 책을 정독하고 평가를 쓰는 단순한 일만 남는다.

정독하기

서론과 서문을 읽어보면, 책의 목적과 독자의 타겟층을 파악할 수 있다. 책의 시야와 범위에 대해 알고 싶다면 콘텐츠와 색인을 보고, 챕터제목이 의도된 내용을 잘 함축하고 있는지 확인한다. 자신에게 서평을 의뢰한 책이 학술지의 독자들과 관련되어 있는지 유념한다.

또한 '저자, 전문지식제공의 분류, 내용의 적절성, 책을 쓴 관점'에 대해 유의하는 것이 좋다.

바쁜 현대사회에서 공적인 대가(서평 비용)없이 두꺼운 교과서 전체를 정독하는 것은 어려운 일이다. 전체를 다 읽을 수도 있고, 책 대부분을 또는 몇백 페이지만 읽을 수도 있을 것이다. 두꺼운 교과서들과 참고문헌의 경우에는 몇 장을 선정하여 각 장을 철저하게 정독한다. 본인의 전문 분야 외에 자신과 거리가 먼 챕터에도 초점을 맞춰야 하며, 중요하지 않다고 생각하는 주제들도 반드시 검토해야 한다.

가까이에 연필을 두고 읽어나가는 동안 콘텐츠 페이지 혹은 별도의 공책에 메모를 한다.

그리고 인용된 참고문헌의 기간과 저자가 놓친 문헌을 확인하기 위해, 각 장의 참고문헌을 꼼꼼히 확인한다.

서평쓰기

대부분의 학술지는 단어제한이 있으나, 만일 단어제한이 없더라도 1,000 단어 미만으로 작성하는 것이 바람직하다. 특별히 지정되어 있지 않는 한 엄격한 형식이나 문체는 없다. 해당 학술지에 실린 다른 서평은 참고하기에 유용하다. 시기적절한 서평은 잠재적 구매자에게 결정적인 판단을 할 수 있게 도와준다. 4~6주 이내로 완성하는 것을 목표로, 전문적이고 명료한 언어를 사용하는 것이 좋다. 서평은 자신의 화려한 필력을 자랑하려는 것이 아니라 해당 책의 유용성을 알려주는데 그 목적이 있다.

학술지 독자들은 여유있게 책을 읽는 사람들이 아니다. 그러므로 서평의 길이는 필요한 만큼만 서술하는 것이 바람직하다.

책의 내용과 범위 및 저자의 의도를 기술한다. 핵심을 강조하기 위해서는 특정한 예를 든다.

특히 중요한 내용이나 비판이 빠지거나 큰 오류를 발견했을때는, 이 내용을 반드시 기술해줘야 한다. 주요 오류는 기재되어야 할 필요가 있다. 책의 나머지 내용이 우수하다면 사소한 오류나 오타는 간과하도록 한다.

견해(독자의 이해, 내용구성, 정보파악방법, 구매가치, 책의장점, 추천여부, 경쟁성 등)를 밝힌다.

서평의 주요한 내용은 **표 15.1**에 나와 있다. 이것은 하나의 지침일뿐이며 독자들에게 상세한 내용을 전달할 필요는 없다.

서평을 왜 해야 하는가?

일반적으로 자신이 서평한 책은 출판물로서 본인이 복사본을 소장한다. 서평을 쓰는것은 비판적사고를 향상시키고 작문실력을 늘리는데 도움이 된다.

표 15.1 서평의 요소들

· 서술 : 책의 모든 내용을 함축적으로 소개하고 있는가?
· 종류 : 안내서, 문제집, 교과서, 참고서 등 어떤 종류인가?
· 소지의 편의성 : 양장본, 문고본 등 어떤 종류인가?
· 독자층 : 타켓독자층을 명시했는가?, 그것이 서평자가 느낀 독자층과 일치하는가?
· 수준 : 학생, 입문자 혹은 대학원생, 전문가 등 누가 읽을만한 수준의 책인가?
· 가격 : 구매할만한 가치의 가격으로 책정이 되어있는가?
· 구성 : 페이지, 섹션, 장의 번호는 잘 명시하고있는가?
· 논리성 : 챕터, 섹션별로 논리적이고 체계적인 배치가 되어있는가?
· 가독성 : 논리적인 흐름으로 진행되는가?
· 주제 : 장·단점과 예시에 누간된 내용은 없는가?
· 방향성 : 콘텐츠와 색인은 바르게 되어있는가?
· 삽입사진 : 좋은 사진과 그에맞는 설명이 기재되어있는가?
· 유용성 : 크기는 어떠한가?
· 판매 : 현재 판매되고 있는가?
· 참고문헌 : 참고문헌은 적절히 들어 갔는가?
· 희소성 : 유사한 종류의 책이 많은가?
· 서체 : 서체와 글자크기는 적절한가?
· 질 : 종이의 질은 어떤가?
· 변경사항 : 마지막 판형이후 바뀐것은 없는가?
· 논란 : 논란이 화두되는 사안을 적절하게 다루었는가?
· 용어 : 비공식적 약자, 혹은 표준어가 아닌 단어를 많이 사용했는가?

참고문헌

1. George S, Dharmadhikari A. Writing a book review:frequently asked questions answered. Br J Hosp Med 2008;69(2):M30–1.

2. Millar B. Book reviews–keeping up to date in the era of the information super highway. J Clin Nurs 1999;8(5):485–6.

3. Hill K. Book reviewing:keeping the audience in mind. Nurse Author Ed 1997;7(1):4, 7–8.

4. Methven RC. The book review:an educational tool. Midwifery 1988;4(3):133–7.

5. Hendee WR. Writing book reviews. Health Phys 1987;53(6):565–6.

6. Morton PY. Medical book reviewing. Bull Med Libr Assoc 1983;71(2):202–6.

제16장 리뷰어의 역할

돔널 맥얼리
영국, 런던, *BMJ*

서론

이 챕터에서는 에디터가 논문의 수락·거절 혹은 수정의 결정을 내릴 때의 논문심사 평가과정을 살펴볼 것이다. 리뷰어의 평가로 논문이 거절당했을 때, 이 평가는 논문개선과 다른 학술지 제출과정에 많은 도움이 된다. 그러나 이 작업이 그리 단순하지만은 않다. 빠른 검토, 상호 검토의 의견 공개, 그리고 검토 소요시간이 다양함 등의 다양한 개념적 변화가 이 과정에 포함되어 있다.

모든 원고는 소중하다. 저자에게 있어서 원고는 연구 프로젝트를 수행해온 길고 복잡한 과정의 최종 단계이다. 원고는 단지 연구결과의 소통이 아니라, 본인의 경력 향상과 기관의 명성에도 중요한 영향을 미친다. 논문은 초안의 반복적인 수정, 공동 저자와의 논의, 삽입되는 표·그림 검토 등의 과정을 통해 마침내 완성된다. 그리고 에디터는 리뷰어에게 논문 통화여부를 물어보게 된다.

당신도 저자인 시절이 있었음을 기억해라. 논문심사 요청을 받았다면 당신은 이미 많은 논문을 출판해온 많은 경험이 있을 것이다. 본인이 첫 논문을 제출했을 때, 리뷰어의 검토를 기다리며 느꼈을 긴장, 걱정, 기대 등의 감정변화가 생각날 것이다. 검토의 모든 점을 상세하게 읽고 그 의미를 반복해 해석했을 것이다. 리뷰어가 본인의 연구를 이해하지 못했을 때는 불평을 했고 격려의 말에는 안도했을 것이다. 그러니 친절하도록 해라. 타인의 연구에 관해 견해를 달라고 제의받는 일은 특권이지만 이것에는 정확한 평가와 막중한 책임이 뒤따른다. 저자가 경험이 많은 학자일 수도 있지만, 커리어를 막 시작한 경험 없는 저자일 가능성도 있다. 그 사람에게는 이것이 학문의 세계로 진입하려는 잠정적인 첫걸음이 될지도 모른다. 그렇기 때문에 당신이 논문을 평가받았던 입장을 생각해, 무엇보다 공정하고 솔직한 리뷰어가 돼야 한다.

리뷰어의 역할에는 소량의 금전적 보상이 있다. 논문출판은 많은 연구원의 선의와 배려심으로 이루어진 것이며, 많은 작업을 요구하는 반면에 보상은 적다. 대부분의 학술지는 검토 비용을 내주지 않을뿐만 아니라 검토작업이 대학으로부터 학문적 성과로써 인정받게 된 것도 최근의 일이다. *BMJ*를 포함한 일부 학술지들은 온라인 저널을 무료로 구독하게 해줌으로써 감사에 보답한다. 좋은 심사는 이상적이라 이를 제대로 완수하기 위해서는 보상 없는 헌신과 노력이 필요하다[1]. 가장 큰 보상은 자신이 연구 공동체에 기여를 한다는 점이다. 검토는 시간이 걸리는 작업이며, 리뷰어들은 평균 3.6개의 학술지에 실릴 논문을 검토하는데 2~4시간 정도 걸린다[2]. 리뷰어가 검토를 거절하는 이유는 대부분 시간이 부족해서거나 혹은 해당 논문이 자신의 관심분야나 전문분야가 아니기 때문이다.

전문 학술지 대 일반 학술지

전문 학술지와 일반 학술지의 필요성과 기대치는 다를 수 있다. 전문 학술지에서는 2명 이상의 리뷰어들에게 논문심사를 맡기는 경우가 흔하다. 에디터의 지식이 학술지의 전체 범위를 아우르기에는 부족하므로 전문가의 의견이 필요한 것이다. 논문의 최종 결정은 오직 에디터에게 달려 있지만, 2~3가지 의견을 수렴함으로써 본인의 결정에 더욱 확신을 하게 된다.

일반 학술지에서는 에디터가 특정 분야의 전문가는 아닐지라도 규모가 큰 편집부가 존재하며, 논문의 최종 결정을 내리기 전에 한명 이상의 편집위원과 다수의 리뷰어들이 논문을 검토한다. 리뷰어들의 의견이 최종 결정에 크게 영향을 미치지만 이 의견은 그저 결정 과정의 한 부분이며 학술지마다 의견이 다르게 해석될 수도 있다. 종종 에디터는 리뷰어가 지지하지 않은 논문을 수락할 때도 있으며 리뷰어가 출판되어야 한다고 생각하는 논문을 퇴짜 놓기도 한다. 그러나 일반적으로 리뷰어의 의견은 에디터의 결정에 큰 영향을 미친다.

원고평가의 과정

전자출판은 논문 처리 과정에 혁명을 일으켰고 논문 심사 요청이 이메일로 오는 것은 흔한일이 되었다. 요청 이메일에 초록이 첨부되어 있을 수도 있지만, 웹사이트나 포털사이트에서 초록을 검색해야 하는 경우가 더 많다. 그 후에 본인이 논문의 심사를 맡을 정도로 해당 주제에 관해 전문지식이 충분한지, 혹은 그럴 시간적 여유가 되는지 판단할 수 있지만 논문심사 여부에 대한 결정은 어려울 수 있다. 만약 해당 분야에 전문가가 아니거나 기간 내에 심사를 마치기 힘들다면 편집장에게 이메일로 꼭 알리고 시간을 내지 못할거 같다면 즉시 거절의 답장을 보내는 것이 좋다. 바쁘지 않은 사람은 없지만 심사를 할 수 있다면 되도록 수락하는 것이 좋다. 보통 3~4주 혹은 특정한 기한 내에 의견을 보내달라고 요청하겠지만, 학술지 편집국이 신속하다면 진행이 더 빠를 수도 있다. 보통 답장을 보내면 즉시 전자회신이 올 것이며

감사의 말과 함께 논문 전체의 열람이 가능해질 것이다. 논문을 읽을 때 Adobe Acrobat
이 필요하며, 알맞은 소프트웨어가 없다면 보통 학술지에서 다운로드 받는 방법을 안
내받을 수 있다. 또한 논문심사 내용을 웹 상에서 입력폼에 입력하여 바로 제출할 수
있으며, 본인이 직접 작성한 워드프로세서 문서를 업로드 하는 방식으로 제출하는 것
도 가능하다.

　제시된 기한 내에 심사를 완료하지 못할 경우 에디터 및 직원들에게 가능한 빨리
이러한 사실을 알려야 한다. 에디터의 입장에서는 넋 놓고 기다리는 것보다 리뷰어
로부터 리뷰를 하지 못한다는 통보를 받는 것이 더 낫기 때문이다. 누구나 한 번쯤
산더미같은 일에 파묻혀서 심사해야 할 논문을 아직 제대로 보지 못했거나 컴퓨터
에 해야 할 일 목록을 작성 해놓고 실행하지 못해 죄책감을 느낀 경험이 있을 것이
다. 리뷰어들이 기한내에 심사를 끝내지 않으면, 편집직원으로부터 계속적인 독촉을
받게 될 것이다. 리뷰어들은 컴퓨터 일정알림이 계속 울리도록 설정해놓는것도 좋은
방법이 될 수 있다. 더불어 당신은 리뷰가 잘 되어가고 있는지 리뷰어들에게 지속적
으로 상기시키는 것이, 논문검토과정을 일정에 맞게 마무리 할 수 있는 유일한 방법
이다[4].

　때로는 잘 알지 못하는 주제에 대해 심사를 해달라는 요청을 받을수도 있다. 큰 규
모의 학술지는 당신이 예전에 제출한 정보 중 핵심어를 데이터베이스에 검색해서 찾
았을 것이다. 또한, 에디터가 데이터베이스에서 당신의 이름을 찾았거나 해당 주제
와 관련된 논문의 저자로서 이름을 알아낸 것일 수도 있다. 전자학술 데이터베이스
는 논문 저자의 이메일 주소를 제공하는 경우가 있는데, 가끔은 에디터가 이것을 통
해 리뷰어들을 찾는다. 이 방법은 리뷰어를 찾는 데 있어서 최선의 방법이 아닐 수도
있다. 젊고 야망 있는 학자들은 흔히 일자리나 대학을 정기적으로 옮겨 다니기 때문
에 옛날 이메일 주소일 경우 역시 많다. 또한, 사람의 관심사는 변하므로 3년 전의 논
문이 그 이전 몇 년 동안 수행한 연구일 수도 있으며, 저자의 관심사가 변하여 더 이
상 그 주제에 흥미를 보이지 않거나 관련 최신 문헌들에 대해 잘 알지 못하는 경우
도 있다. 논문의 해당 저자가 반드시 그 연구의 전문가가 아닌 경우도 실제 있다. 인
간이란 실수도 하는 법이라, 에디터에게 참을성을 가져야 하며 우리가 오류를 냈을
경우 최대한 빨리 알려주길 바란다.

　해당 분야에 전문성을 지닌 리뷰어를 찾는 일은 쉽지 않으며, 특정 분야의 리뷰어
를 찾는 일은 더욱 어렵다. 그래서 간접적이지만 관련이 있는 학자에게 심사를 요청
하는 경우도 있다. 만약 당신에게 이런 요청이 올 경우 주제에 대한 문헌들을 다시
읽는것이 힘들 수 있으나, 가능하다면 꼭 심사해 주는 것이 좋다. 어떤 논문들은 징
크스가 있는 것처럼 심사 후보자들 전부가 검토하기를 거부하는 경우, 편집장의 책
상에는 리뷰를 거절한 이들의 목록만 쌓이게 된다. 검토를 받기 위해 오랫동안 기다

려온 저자의 속은 타 들어갈 것이니 에디터에게 협조적이기를 부탁한다.

저자들에게 리뷰어들을 추천 요청하는 학술지도 많다. 이것은 많은 문제점이 있을것처럼 보이지만 오히려 장점이 많은 방법이다. 저자가 추천한 리뷰어와 에디터가 선정한 리뷰어의 질적 차이가 없음이 입증됐기 때문이다. 하지만 저자가 추천한 리뷰어가 논문 수락 선호도가 더 높은 경향이 있다. 에디터는 논문평가에 확신을 할 수 있으며, 에디터 단독으로 논문 수락 여부를 결정하는 것이 바람직한 경우도 있다[5].

논문의 저자 목록을 확인하지 않고 실수로 당신이 제출한 논문에 리뷰어가 되어 달라고 요청해오는 에디터의 실수를 눈감아 주길 바란다. 주제 검색어를 찾는 과정에서 해당 주제에 관해 광범위하게 논문을 쓴 이상적인 리뷰어가 다른 누구도 아닌 논문 저자로 확인되는 경우가 실제로도 일어난다.

최고와 최악의 검토

이 세상에 완벽한 심사는 없다. 물론 완벽한 논문도 존재하지 않는다. 그러나 최고의 심사는 에디터와 저자 모두에게 논문의 한계점과 개선의 여지를 알려주는 역할을 하는 것이다.

에디터는 누구보다도 해당 논문이 출판에 적합한지와 개선방법은 무엇인지에 대해 알아야 할 필요가 있다. 만약 논문 연구방법에 치명적인 오류가 있다면 출판을 거절하는것은 쉬운일이다. 하지만 사소한 오류라면 쉽게 고칠 수 있기 때문에, 에디터는 상황을 잘 파악해 수정을 요구하고 그 논문을 받아들이는 것이 좋다.

최고의 리뷰어는 주제에 대해 다양하게 독서하는 사람이다. 병원, 대학 그리고 가정용 컴퓨터를 통해 전자 데이터베이스를 쉽게 접할 수 있는 시대이기 때문에 에디터는 리뷰어가 논문의 독창성을 평가하기 위해 짧게나마 관련 논문들을 검색해 주는 것을 원한다. 이 과정에서 편집부가 아닌 리뷰어들이 기존에 출판된 논문을 복제하거나 표절하는 것과 같은 심각한 윤리적 문제를 밝혀내기도 한다.

심사의 구조에 관해서는 엄격한 지침이 나와 있지 않으나, 일반적으로 세 부분으로 나누어져야 한다고 합의되었다. 첫 번째 부분은 대개 논문에 대한 전반적인 코멘트로, 논문의 독창성, 중요성, 유효성을 평가한다. 두 번째 부분은 주요한 문제들에 대해 다루고, 세 번째 부분은 사소한 문제들의 목록이 열거된다. 이러한 구조는 어떠한 검토에도 적용될 수 있으며, 에디터와 저자 모두에게 환영받는다.

도움이 되는 평가는 논문의 맥락을 파악한 짧은 요약문으로 시작되며 다음과 같은 한 쌍의 질문에 핵심적으로 대답한다: 새로운가? 그리고 사실인가? 이것은 논문의 독창성에 관한 견해를 내는 것을 의미하며, 만약 연구결과가 기존에 발표되었다면 이 논문이 현재의 연구문헌에 얼마나 기여하는지 평가하는 것이다. 리뷰어는 본인의 전

문적인 지식의 맥락에서 볼 때, 주제나 연구과제가 중요하고 출판할만한 가치가 있
는지 기재해야 한다. 사실 여부는 연구 방법을 평가할 때 물어볼 수 있는 질문으로 연
구에 사용된 방법이 적절한지 판단하는 것을 의미한다. 이는 기본적인 역학의 원리
에 관한 지식이 필요하지만 통계학상의 전문지식은 거의 요구하지 않는다. 많은 학
술지는 통계학자에게 추가적인 견해를 요청한다. 또한, 리뷰어는 논문의 스타일과 내
용이 학술지에 부합하는지에 대해서 충분히 알 필요가 있다.

예
요약

이 논문은 상호 검토에 관해 흥미롭게 쓴 논문이다. 저자는 논문을 통하여 중
요한 이슈에 대하여 논리적이고 체계적으로 문제를 잘 제기하였다. 상호 검
토가 논문의 질을 개선한다는 점을 보여주고 있으므로 유용하고 기여도가 높
은 논문이며, 아직 이 분야에 대한 좋은 연구가 거의 없어 큰 기여를 할 수
있을 것이다. 이 논문은 명문이며 Journal of Medical Writing의 스타일에 적
합하다. 그러나 표본 선정과정이 심히 우려되며 글이 정확성에 있어서도 약
간의 아쉬움이 있다.

평가의 두 번째 부분에서는 논문의 주요한 문제들을 기재하게 된다. 이 부분에서
는 서론의 관련성과 타당성, 연구 방법에서 확인된 문제점, 연구 결과의 정확성, 고
찰에 설명된 연구결과, 그리고 결론의 객관성과 유효성에 대해서 진술한다. 각각의
문제점은 가능한 본문의 페이지 수, 문단 수, 그리고 줄 수와 함께 명시하는 것이 좋
다. 평가에 직접 인용을 할 경우 괄호에 기재해야 한다. 이렇게 함으로써 에디터와
저자 모두 문제가 되는 부분을 즉시 확인할 수 있다. 논문출판에 결격사유가 될만한
치명적인 오류는 특히 강조해야만 한다.

예
주요 비판

2페이지, 둘째 문단, 3번째 줄. 저자는 표본추출 방법에 관해 기술했다. 하지
만, 원고가 도착한 날을 기준으로 무작위적으로 집단을 배정하는 것은 방법상
의 오류라고 판단된다.
2페이지, 둘째 문단, 7번째 줄. 저자는 포함과 배제의 기준을 명시하지 않았다.

세 번째 부분에서는 사소한 문제들을 명시하며, 서론에 개선될 수 있는 부분과 추
가적으로 포함해야 할 참고문헌, 논문 맥락에 대한 논평, 그리고 문법 및 철자 오류

에 대한 조언과 제의를 한다.

예

사소한 문제들

1 페이지, 세 번째 문단, 2번째 줄. 서론이 참고문헌을 적절하게 포함했지만 저자가 무작위 비교실험에 대한 다른 두 권의 책을 살펴보는 것이 좋겠다 (Godlee et al. and van Royen et al.).

1 페이지, 셋째 문단, 4번째 줄. 'Trial'이란 단어의 철자가 잘못되어 'Trail'으로 적혔다.

사례보고는 다르게 다뤄야 한다. 사례보고를 정기적으로 출판하는 학술지들도 있고 이와 달리 특별한 경우에만 하는 학술지도 있다. 사례보고를 실을 것인가에 대한 문제는 주로 글의 독창성에 따라 결정된다. 비슷한 사례의 다른분야, 다른나라에서 보도가 된 경우, 전문분야와 장소에서 보도가 안된경우가 있기 때문에 리뷰어의 꼼꼼한 문헌검색이 필요하다. 에디터마다 서로 다른 심사기준을 가지고 있으므로 충분한 정보를 제공하여 에디터로 하여금 결정을 내리도록 해주는 것이 리뷰어의 역할이다. 현재는 사례 보고만 발표하는 전자 학술지들이 꽤 있다.

질 개선하기

상호 검토 과정이 과학적인 공적에 관한 객관적인 선택의 한 방법으로서 진화되었다. 그러나 정확하지 않은 과학일 뿐이며, 상호 검토가 더 나은 결정을 내리게 했다는 증거는 미약하다. 실제로 국제 코크란 연합(http://www.nehl.nhs.uk)은 '상호 검토 과정이 의생명과학 연구논문의 질을 높였다.'라는 구체적인 증거를 찾아보기 힘들다고 발표했다[6]. 또한, 상호 검토의 질을 측정하는 것도 어려우며 측정 기준을 합의하지도 못했다[7]. *Nature*는 상호 검토 논란의 다양한 측면들에 대해 일련의 유용한 시리즈 논문을 실었고 더 많은 정보를 얻으려면 이 사이트(http://www.nature.com/nature/peerreview/debate/index.hml)를 이용하는 것이 좋다.

학술지마다 다른 모델을 가지고 있다. 상호 검토 과정의 전통적인 모델에서는 리뷰어들이 저자의 신원을 알고 있었지만, 저자는 검토자들의 신원을 몰랐다. 어떤 학술지들은 저자와 검토자들 서로의 신원을 밝히지 않으려고 하지만 논문의 출처를 알 수 있는 환자, 데이터베이스, 지역, 혹은 연구의 종류 때문에 그렇게 하기는 힘들다. 현재는 많은 학술지가 완전히 공개된 상호 검토 과정을 사용하여 저자와 검토자들이 서로의 신원을 알 수 있도록 하는 경우가 많다.

비공개 혹은 공개된 상호 검토 과정에 대한 무작위 비교시험이 몇 나와 있다[8, 9].

이 분야의 핵심 연구자이자 *BMJ*의 에디터인 Fiona Godlee는 공개 심사가 익명 심사보다 윤리적으로 우위를 보인 사례를 예로 들면서, 공개 심사가 리뷰어의 책임을 증가시키며 익명이라는 보호막 아래 편파적이거나 불공정한 판단, 또는 데이터를 남용할 여지가 더 적어진다고 주장한다. 비공개 심사에서 완전한 차단은 불가능하며 대부분의 논문은 지역, 인구특질에 대해 언급하기 때문에 저자의 신원정보를 모르는 리뷰어들 중 23~42%가 저자의 신원을 알아냈다[10]. 특히 대부분의 연구자는 자신의 전문분야 내의 다른 연구자들을 알고 있으므로 그들의 연구를 알아보는 경우가 흔하다.

학술지들은 정직과 투명성을 확보하고자 공개 상호 검토를 선택할 수도 있다. 리뷰어가 날카롭고 비판적인 심사를 할 가능성이 적어진다고 주장하는 이들도 일부 있으나 이런 체제는 익명의 비양심적인 리뷰어로부터 저자를 보호해주기도 한다. 상호 검토 과정을 전면적으로 공개하라는 압박이 증가함에 따라 '공개 상호 검토'가 점점 더 흔해질 가능성이 높다.

최근에는 리뷰어의 서명이 들어간 비평이 *BMJ* 공식 홈페이지에 게재될 것이라고 공고가 되었다. 이에 따른 리뷰의 질에 특별한 변화는 없었지만 리뷰를 거절하는 사례가 증가했고 리뷰 기간도 더 길어졌다. 그러나 저자들은 공개심사과정을 옹호하는 도덕적 주장이 그 단점보다 더 중요하다는 결론을 맺었다[11].

공개 심사도 분명 단점이 있다. 리뷰를 거절하는 이들의 수를 증가시킬 수 있으며, 검토자들이 논문의 게재를 허락할 가능성은 줄어들고 리뷰에 소요되는 시간은 증가할 것이다. 후배 리뷰어들이 동료 선배들의 연구에 대해 정직한 논평을 할 가능성이 줄어들 수도 있다. 명시적이든 암시적이든 선배 학자들이 가하는 위협과 협박도 있을 수 있다. 리뷰어들을 보호하기 위해서 *BMJ*는 공개 상호 검토를 도입했을 때[12] 검토자들이 위협을 받을 때는 익명으로 제보할 수 있는 시스템도 함께 도입했다. 그들이 이 시스템을 '옐로카드 시스템'이라고 명명한 이유는 영국에서 실시한 약물 부작용 신고 제도와 유사하기 때문이다. *BMJ*는 공개 심사를 도입한 이래로 극소수의 옐로카드만 접수했다. 공개 심사에서 저자는 편집부의 과정을 거치기보다는 리뷰어에게 직접 불만을 제기하려는 사례가 종종 일어난다. 이러한 행동은 물론 부적절하며 이런 경우 저자에게 답장하지 말고 에디터에게 직접 연락을 취해야 한다. 이렇게 하면 양자가 갈등으로부터 한발씩 물러날 수 있고 에디터에게 의견충돌을 조종하는 책임을 지게 한다.

의식적이든 무의식적이든 편견은 언제나 일어날 가능성이 있다. 리뷰어가 이전에 함께 협력하여 연구했던 동료의 연구를 지지하거나 경쟁자의 연구를 비판적으로 볼 수도 있다. 하지만 저자가 논평을 읽고 자기 논문이 심한 처우를 받았다고 느낀 것과 달리 사실상, 전문지식을 갖춘 리뷰어가 해당 영역의 연구에 관련된 함정과 실수를 더 잘 알고 있기 때문에 비판적인 평론을 한 경우도 있다.

에디터들은 상호 검토의 질을 개선하는 방법들에 대해 매우 깊은 관심을 가지고 있다. 워크숍이나 훈련 프로그램, 또는 직접적인 피드백을 통해 향상하려는 부단한 노력을 지속하고 있다. 그러나 직접적인 피드백의 경우 비효율적일 수도 있으며 부정적인 효과를 일으킬 수 있다[13]. 훈련 결과에서도 우리의 예상과 크게 다를 수도 있다. 훈련과정은 논문 상호 검토의 질 향상에 별다른 영향을 미치지 못한다. 혼자 습득하는 것과 이를 직접 가르치는 것을 비교했을 때, 혼자서 훈련하는 것이 통계학적으로 높은 효과가 있는 것으로 보이지만 사실 그 효과는 적은 것으로 나타났다[14].

논문 상호 검토의 질을 개선시키는 방법에 대해 더 많이 알고 싶다면, '의학저널 에디터 국제연합' 웹사이트(http://www.wame.org/syllabus.htm#reviewers와 http://www.wame.org/wamestmt.htm)에 나와 있는 지침을 읽어 보고 상호 검토 훈련 프로그램에 참여하는 것도 좋은 방법이다[15]. 또한 상호 검토 연구의 현재 실정이 궁금하다면 http://BMJresearch.com/를 방문해 보도록 한다.

항의 상대하기

저자가 에디터의 결정에 항의하려는 경향이 증가하는 추세다. 이는 딜레마를 일으킨다. 실수는 누구나 할 수 있으며, 에디터는 이 시스템이 상호 검토 과정의 단점으로 실패할 수 있다는 것을 누구보다 잘 알 것이다. 항의가 들어오고 에디터 또한 논문이 불공정하게 거절됐다고 생각한다면 '재검토'를 적극적으로 시행할 것이다. 이 과정은 더 꼼꼼한 리뷰를 요청하게 될 것이다. 이러한 경우, 에디터는 예전 심사에 관련된 모든 서신을 새로운 리뷰어에게 보낸 후 그들의 의견을 구할 것이다. 논문의 가치를 재심사하기 위해 논문은 담당 리뷰어에 의해 정확하게 동일한 과정을 또 한 번 거친다. 최종 결정은 에디터에게 있으나, 리뷰어는 그 결정을 내리는 데 도움을 줄 수 있는 조력자이다.

심판자, 검토자 또는 리뷰어

본 장에서 검토자 또는 리뷰어라는 용어를 일부러 사용하는 이유는 '심판자'라는 용어를 멀리하기 위함이다. 리뷰어는 때로는 본인의 임무가 어렵다고 느끼고 동료 학자들의 연구를 판단하는 것을 불편하게 느낀다. 최종 결정은 에디터에게 있으니 에디터의 책임이라고 생각하면 조금 도움이 될 것이다. 최종 결정은 에디터에게 있는 것인데 심판자라는 용어의 사용은 최종 결정권자라는 암시를 주어 오해를 일으킨다. 검토자의 역할은 본인의 지식, 경험 그리고 관련 문헌들의 짧은 검토를 통해 논문의 가치를 솔직하게 평가하는 일이다.

검토의 질 높이기

연구결과에 의하면 가장 우수한 리뷰어는 북미에 거주하는 40세 미만으로, 역학과 통계학에서 많은 훈련을 받았다고 한다[16]. 검토의 질은 리뷰어가 얼마나 많은 시간과 노력을 할애할 마음이 있는지에 의해 크게 좌우된다.

저자들은 이에 신경 쓰는가? 답을 알기는 어렵지만 *Annals of Emergency Medicine* 의 897명의 저자들 중 64%의 응답률로 상호 검토에 대해 다소 만족하는 것으로 집계되었다[17]. 논문이 통과된 이들은 대부분 검토에 만족하는 것으로 나타났으며 논문이 거절당한 이들은 결정하는 데 걸린 시간과 에디터와의 소통, 두 가지 면에서 불만족을 표시했다. 그러므로 심사의 질에 상관없이 자신의 논문이 발표된다면 저자는 만족하는 것이다.

이해관계의 충돌

리뷰어들은 실제로 윤리적 책임을 지게 된다. 리뷰어는 특정한 분야에 대한 관심 때문에 선정된 것이므로, 본인의 예전 동료나 경쟁자의 연구를 평가해야 하는 입장에 놓일 수도 있다. 만약 이런 상황이 이해관계의 충돌을 불러 일으킨다면 에디터에게 이를 꼭 알리도록 한다. 상호 검토 과정은 전적으로 신뢰를 기반으로 한다. 이는 본인의 진실성에 달려 있고, 저자들은 자신의 연구가 정직하고 진실하게 평가되길 기대한다. 리뷰어 자신과 경쟁 관계에 있는 다른 동료들도 마찬가지이다. 어떤 저자들은 논문을 제출할 때 공정한 심사를 해주지 못할 것 같다는 우려로 특정 리뷰어를 쓰지 말아 달라는 부탁을 한다. 비록 리뷰어들은 전부 최고의 인품을 지닌 것으로 간주하지만, 대부분의 에디터들은 이러한 요구가 타당성이 있다고 생각한다.

리뷰어에게는 상호 검토 체계의 진실성을 준수해야 할 책임도 뒤따르는데, 저자가 당신의 독립성에 대해 조금의 우려를 갖고 있다고 판단된다면 에디터에게 꼭 연락하도록 한다. 에디터는 저자가 제약산업과의 관련 같은 이해관계의 충돌을 일으킬만한 일을 밝힌다면 특히 더 민감해 한다. 이와 유사하게 리뷰어도 연구기금을 위한 협착이나 경쟁, 출판 여부에 따라 수혜를 입거나 피해를 받을 수 있는 제약산업이나 다른 조직에 관련되어 있을 소지가 있거나 있다면 마땅히 밝혀야 한다. 이해 관계의 충돌이라는 비난에 맞서는 가장 좋은 보호책은 사실을 밝히는 것이다. 그러나 그런 모든 제약에도 불구하고 여전히 당신이 가장 최상의 자격을 갖춘 리뷰어일 수도 있다. 에디터에게 알리고 논문을 정직하게 심사했다면 당신은 최선을 다한 것이다. 필요한 경우, 에디터가 당신이 이해의 충돌이 있을 가능성을 언급했다는 것을 저자에게 밝히는 경우도 있다.

당신은 지적 진실성을 갖추어야 할 책임도 따른다. 즉, 타인의 아이디어를 도용해서는 안 된다. 실제로 일어나는 일이며 무의식적으로도 발생할 수 있으므로 경계를 늦추지 않아야 한다.

'의학 학술지 편집장 국제연합(World Association of Medical Editors)' (http://www. wame.org)은 매우 유용한 정보 제공처이며 이해관계의 충돌에 대해 주제별로 광범위한 지침을 제공하고 있다. 2001년 9월 바르셀로나에서 열린 '제4회 동료평가 저널 국제회의'에서 익명으로 거론된 사례에 대한 토론도 있다. 이 사례는 리뷰어의 금전적인 이해가 관련된 사례로 'WAME 윤리 위원회'의 Michael Callaham이 청중들에게 소개했으며, Richard Smith (*BMJ*), Richard Horton (*Lancet*), Frank Davidoff (*Annals of Internal Medicine*)로 구성된 전문 위원단에 의해 토론되었다.

연구 위법행위

당신은 리뷰어로서 논문에 대한 의심이 드는 경우도 있었을 것이다. 도형, 표, 결과의 모든 보고, 표본추출의 조작 등을 의심했을 것이다. 연구 위법행위가 의심된다면 에디터로 하여금 이에 주목하게 하는 것이 중요하다. 하지만 오해의 소지가 있으므로 저자에게 절대 직접 연락하지 않도록 한다.

이런 경우 에디터는 저자에게 실험방식, 원본 데이터, 샘플링 방식에 대한 정보, 윤리 승인서복사본 등을 요구 할 수 있다. 이를 통해 실수, 오보, 판단의 착오, 속임의 행위가 드러나게 된다. 리뷰어로서 신중한 고려와 확실성 없이 판단을 내리거나 추궁을 하지 않는 것이 중요하다. 의심이나 문제의 여지가 보인다면 에디터는 '출판 윤리위원회(COPE)'에 사례를 조사해 달라고 요청할 것이다[18]. COPE의 웹사이트는 관련 사례들을 보고하고 있다(http://publicationethics.org).

이중 게재나 논문 쪼개기가 의심된다면 관련된 논문의 복사본을 에디터에게 보내 중복의 정도를 확인할 수 있도록 해주는 것이 도움된다. 학계에서는 가능한 많은 논문을 발표해야 한다는 압박에 시달리고 있으며, 출판물의 횟수를 극대화하기 위해 하나의 연구과제를 여러 논문으로 나눠서 출판논문의 수를 늘리고 싶어한다. 분할 출판은 문헌을 어수선하게 하고 정확한 메시지를 식별하기 어렵기 때문에 부적절한 행위로 간주된다. 지금은 'Research Excellent Framework '이라고 알려진 RAE의 최근 변동사항을 참조하면 더 도움이 된다.

상호 검토 내의 신 개념

과거부터 상호검토는, 출판이전 과정인 논문심사 단계로 의미되었다. 종이에서 전자 플랫폼으로의 변화는 출판을 좀 더 신축성 있게 접근하도록 해준다. 현재 많은 학술지는 지면에 출판하기 전에 사전공표로 학술지의 웹사이트에 논문을 싣는다. 독자들은 인터넷 댓글을 통해 즉시 자신의 비판과 해석을 올릴 수 있다. 바로 이것을 출판 이후 상호 검토의 한 형태로 볼 수 있다. 또한, 연구와 댓글이 미리 기재되기 때문에, 함께 묶어 학술지 지면에 함께 올리는 것도 가능하다.

또한 전자 플랫폼은 학술지가 논문심사의 방법과 시기 및 일련 과정을 바꿀 수 있도록 해준다. 대부분 전체 공개로 열어놓은 일부 학술지들은 가벼운 상호 검토를 선택해왔다. 그들의 상호 검토 시스템은 연구의 방법이 연구 주제에 해답을 주는데 적절한 것인지에 초점을 맞추고 있다(http://www.plosone.org/static/review.action).

논문이 발표된 후에는 힉계로부터 그 가치를 인정 받을 수 있다. 몇몇 경우에는 학술지가 논문과 함께 논문심사 내용을 온라인에 게시하기도 한다. 예를 들어서 BioMed Central의 경우 각 논문이 출판되기 전의 과정을 (제출된 원고, 리뷰어들의 보고서, 저자의 반응) 출판된 논문과 함께 웹사이트에 기재했다(http://www.biomedcentral.com/info/about/perreview/). *BMJ Open*은 사이트를 오픈한 이래 출판전의 과정을 계속 기재해 오고 있다. 분자생물학 학술지인 EMBO는 각 논문 옆에 나란히 상호 검토 과정 파일을 기재한다. 이 문서에는 출판 전과정의 타임라인과 각 리뷰어의 보고, 저자의 반응, 에디터의 결정문, 서신 같은 논문 출판과정과 관련된 모든 교류가 포함된다. 리뷰어는 익명처리 되지만 서로 활발하게 댓글을 남길 것이 적극 권장된다(http://www.nature.com/emboj/index.html).

일부 과학 학술지들은 다른 방식을 사용하는데(http://publication.copernicus.org/services/public_peer review.html), 처음 제출본은 리뷰어들에게 심사를 받고 초안 제출은 학계로부터 심사를 받기 위해 온라인으로 기재되는 체제이다. 일정 기간의 검토후 수정과정을 거친 초안 논문은 출판을 위해 공식적으로 수락된다.

학술지의 수가 점점 증가함에 따라 리뷰어를 구하는 일도 더욱 어려워지고 있다. '신경과학 상호 검토 컨소시엄(Neuroscience Peer Review Consortium)' (http://nprc.incf.org/reviewers)이 선택한 대안은 논문을 한 번만 검토하지만, 만약 그 논문이 그룹 내에 있는 다른 학술지에 보내진 경우 이전의 심사평을 함께 보내는 것이다.

논문을 리뷰어들에게 보내기 전에 미리 선별하는 학술지들도 있다. 예를 들어서, *BMJ*는 표준 심사방식에서 약간 변형된 방식을 채택하고 있다(http://resources.hmj.com/*BMJ*/authors/peer-review-process). 모든 논문은 상호 검토 전에 두 명의 에디터에게 검토되고 약 70%는 상호 검토 전에 거절된다. 이렇게 함으로써 전반적인 상호 검토 작업량을 줄이고 좀 더 신속한 초기결정을 내릴 수 있게 한다.

BMJ 와 같은 일부 학술지들은 리뷰어들에게 매우 구체적인 조언을 주며 다른 정보를(http://resources.*BMJ*/reviewers/peer-reviews-guideline) 이용할 수 있게 엑세스를 제공한다. 많은 경우 논문 검토요청을 받을 때 해당 학술지의 투고지침으로 연결되는 링크를 볼수 있을 것이다.

또한, 학술지들은 저자에게 다양한 확인사항의 (CONSRT, PRISMA, MOOSE 등) 복사본을 부탁하는 경우도 있다. 이 자료는 리뷰어들은 돕는 데 매우 유용하게

쓰인다. 다른 일부 학술지들은 기존 프로토콜을 요청해서 검토자들로부터 연구 과
정이 기존 프로토콜을 따랐는지, 저자가 일차적, 이차적 연구결과를 알맞게 보고했
는지, 또는 표본수 계산을 정확하게 했는지 검토하게 한다. 이러한 확인사항과 다른
유용한 자료는 EQUATOR 홈페이지에서 볼 수 있다(http://www.equator-network.
org/resource-centre/editors-and-peer-reviewers/editors-and-peer-reviewers/).

결론

동료의 연구에 대해 출판전에 견해를 부탁 받는 일은 영광이며 특권이 아닐수 없
다. 학계는 이러한 상호 검토가 계속해서 존재할 수 있도록 연구자들의 이타심에 의
존한다. 하지만 훌륭히 수행해내야 한다는 책임도 뒤따르므로 리뷰어 본인의 논문
이 리뷰를 받을 때 만족할만한 리뷰를 받기 위해서라도 시간과 노력을 아끼지 말길
바란다.

참고문헌

1. Goldbeck-Wood S. What makes a good reviewer of manuscripts? BMJ 1998;316:86.
2. Yankaur A. Who are the peer reviewers and how much do they review? JAMA 1990;263:1338–40.
3. Tite L, Schroter S. Why do peer reviewers decline to review? A survey. J Epidemiol Community Health 2007;61:9–12.
4. Pitkin RM, Burmeister LF. Prodding tardy reviewers. JAMA 2002;287:2794–5.
5. Schroter S, Tite L, Hutchings A, Black N. Differences in review quality and recommendations for publication between peer reviewers suggested by authors or by editors. JAMA 2006;295:314–7.
6. White C. Little evidence for effectiveness of scientific peer review. BMJ 2003;326:241.
7. Jefferson T, Wager E, Davidoff F. Measuring the quality of editorial peer review. JAMA 2002;287:2786–90.
8. Godlee F, Cale CR, Marlyn CN. Effect on the quality of peer review of blinding reviewers and asking them to sign their reports:a randomised controlled trial. JAMA 1998;280:237–40.
9. Van Royen S, Godlee F, Evans S, Smith R, Black N. Effect of blinding and unmasking on the quality of peer review:a randomised controlled trial. JAMA 1998;280:234–7.
10. Godlee F. Making reviewers visible. Openness, accountability, and credit. JAMA 2002;287:2762–5.
11. van Rooyen S, Delamothe T, Evans SJ. Effect on peer review of telling reviewers that their signed reviews might be posted on the web:randomised controlled trial. BMJ 2010;341:c5729. doi:10.1136/ BMJ.c5729.
12. Smith R. Opening up BMJ peer review. BMJ 1999;318:4–5.

13. Callaham ML , Knopp RK, Gallagher EJ. Effect of written feedback by editors on quality of reviews. JAMA 2002;287:2781-3.

14. Schroter S, Black N, Evans S, Smith R, Carpenter J, Godlee F. Effects of training on the quality of peer review:a randomised controlled trial. BMJ 2004;328:673-5.

15. Schroter S, Groves T. BMJ training for peer reviewers. BMJ 2004;328:658.

16. Black N, van Rooyen S, Godlee F, Smith R, Evans S. What makes a good reviewer and a good review in a general medical journal? JAMA 1998;280:231-3.

17. Weber EJ, Katz PP, Waeckerle JF, Callaham MI. Author perception of peer review. JAMA 2002;287:2790-3.

18. Smith R. Misconduct in research:editors respond. BMJ 1997;315:201-2.

제17장 에디터의 역할

제니퍼 M. 헌터
영국, 리버풀, 리버풀 대학

에디터들은 새로들어온 논문, 수정된 논문, 편집장에게 보내는 편지, 윤리적문제 및 항의까지 엄청난 작업량을 소화하기 때문에 단순할 수 밖에 없다. 하지만 그들은 체계적이어야 하며 상당한 행정능력과 열정, 윤리의식을 갖춘 사람이어야 한다. 에디터란 항상 분명한 사고와 시각을 유지하려고 노력해야 하며 상당한 유머감각도 요구된다.

저자들은 그들이 과학 학술지의 편집장에게 무엇을 제출하든 간에 그 길이에 관계 없이 편집장의 인생에 있어서는 아주 사소한 일이라는걸 알아야 한다. 더 중요한 사실은, 에디터는 보통 너무 바빠서 자신의 우편함에 새롭게 들어온 모든 글(전자·인쇄물)이 문제가 없기만을 바랄 뿐이다. 따라서 에디터는 저자들이 각 학술지가 제공하는 저자투고지침을 잘 숙지하고 세부적인 사항까지 준수하기를 바란다.

편집장은 저자와 전문 리뷰어를 잇는 중요한 연결고리라고 할 수 있다. 즉, 공정한 심사가 진행되고 있는지, 저자의 의견을 반영했는지 항상 확인하려고 할 것이다. 그렇게 하기 위해서 저자들은 편집장에게 본인의 요구사항을 가장 정확하게 제공하기 위해 애써야 한다(항상 편집장들의 비위를 맞추려고 노력해라. 그만한 보상이 따른다). 에디터에게 논문을 제출하기 전에 출판 경력이 많은 선배 동료에게 원고를 검토해달라고 부탁하는 것이 좋다.

이 짧은 장을 통해 에디터의 역할이 지닌 공통적인 측면들을 다룰까 한다. 즉 에디터의 직분으로 인한 괴로움, 좌절, 걱정에 대한 이야기이다.

새로운 원고

편집 사무실은 언제나 활발하게 새로 들어온 원고의 수락 여부를 고려하는 업무로 하루를 시작한다. 전문 비서의 도움으로 모든 원고가 상세히 점검된다. 논문이 정확하게 제출되었는가? 세부 항목(초록, 서론, 연구 방법, 연구 결과, 고찰 등)이 정확하게 기재되어 있는가? 표와 그림이 판독하기 쉽고 정확한 형태로 제시되었는가? 그림과 표가 실제로 본문에 언급되어 있으며 (빠지는 경우가 흔하다) 또한 정확하게 표시되어 있는가? 저자가 제공한 표와 그림의 번호가 본문에 언급된 숫자와 일치하지 않는 경우가 종종 있다. 학술지가 허용한 최대 단어수를 벗어나지 않는가? 연구와 관련한 여러 이해관계나 저작권과 관련된 서류들이 작성되었는가? 또한, 모든 공동저자들이 이해관계 상충에 대한 서류를 읽고 직접 서명을 하였는가? 실제로 공동 저자들 모두 논문에 기여했다는 점을 인지하고 있는가?

모든 필수 제출 조건을 충족하는 새로운 원고를 수령하게 되면, 편집장은 현재 검토 중인 주제에 대한 지식이 있는 편집부들 중 한 곳에 원고를 배정할 것이다. 또는 본인 스스로 원고를 맡을 수도 있다. 책임감이 많은 에디터는 원고의 논평을 부탁하기 위해 2명 혹은 3명의 전문 리뷰어들에게 요청을 할 것이다(리뷰어가 짝수인 경우 편이 갈려서 에디터로서 결정의 어려움을 줄 수 있다. 홀수 리뷰어들인 경우 다수의 결정을 따르는 경우가 많다).

즉각적인 거절

편집장이 원고가 부적합하게 제출됐음을 즉시 알아보는 경우도 종종 발생한다. 즉, 논문 주제가 다른 전문 학술지에 더 적합하거나, 과학적 수준 혹은 영어 수준이 학술지가 요구하는 최저 수준에도 미치지 못하는 경우를 말한다. 하지만 이러한 논문은 많아 봤자 5% 미만에 해당된다. 이런 경우 편집장은 주저 없이 즉각적인 결정을 내리는데 보통 '거절'인 경우가 많다. 하지만 사려 깊은 에디터는 저자에게 원고의 수준을 향상 시킬수 있는 세세한 조언과 함께 본인이 내린 결정을 알리려 할 것이다.

수정된 원고

논문의 수정이 많아질수록 에디터의 상세한 간섭 또한 증가한다. 하지만 이 모든 과정의 마무리 작업이기 때문에 에디터로부터 논문을 수정해서 제출해 달라는 요청을 받으면 기쁜 마음으로 열심히 해야한다. 요구가 너무 광범위하고 과다하게 느껴진다 해도 낙담하지 말고 각 요구사항을 꼼꼼히 따져보고 조금이라도 개선하려고 노력해야 한다. 궁극적으로, 에디터에게 각 리뷰어의 평가에 어떻게 응했는지 체계적으로 알려야 한다. 모든 리뷰나 비판이 완벽히 옳은 것은 아니니 리뷰어가 권유하는 모든 것을 정확히 고쳐주기를 기대하는 건 아니지만 각 사례에 대해 본인의 의견을 이야기할 준비가 되어 있어야 한다. 이 단계에서 에디터는 '중재자'의 역할을 맡게 된다. 리뷰어의 얘기도 들어주는 만큼 저자의 목소리에도 귀를 기울여 줄 것이다. 아무리 불만스러운 점이 있을지라도 항상 공손하게 응하고 노력해야 한다. 평정을 잃지 않고 전문적인 태도로 대한다면 더 성공적으로 일을 처리할 수 있을 것이다(**표 17.1**).

초안과 거의 다를 바가 없는 논문을 수정본이라고 제출하는 일은 절대 없도록 한다. 에디터는 모든것을 파악하고 알아채기 때문에 실제로 이런일이 일어나지 않도록 주의한다.

문제의 원고

원고의 수정에 재빠르게 응해주는 저자들이 있는가 하면 몇 달 동안 응답을 안하는 이들도 있다. 저자나 심사자로부터 연락이 없을 경우 이를 확인하는 것이 편집장의 역할이다. 혹시 공지를 잘못 보거나 웹사이트를 보지 못한 건 아닐까? 저자나 심사사의 이메일 주소가 변경된 것은 아닐까? (수련의의 경우 특히 많이 있는 일이다) 등 편집부는 당신의 최신 연락처를 항상 알고 있어야 한다. 모든 편집장은 매년 받는 수백 개의 논문 중에서 '징크스'가 있는 듯한 논문을 몇 건 받기 마련이다. 예를 들어서, 모든 리뷰어들이 답변을 하는 데 오랜 시간을 들일 뿐만 아니라 무의미하고 부적절한 리뷰를 보내는 경우 말이다. 저자들에게 본인들의 논문에 대한 비판적인 리뷰, 즉 원고나 연구 과제의 질을 개선하는데 도움이 되는 리뷰를 제공하는 것은 에디터의 책임이다. 따라서 에디터는 논문을 신속하고 철저하게 검토해 달라고 촉구해야 하는 경우도 발생하지만 그다지 만족스러운 심사평을 받지 못할 수도 있다. 이러한

표 17.1 에디터를 만족시키는 방법

- 저자 투고지침을 엄격하게 준수한다.
- 정확한 지침으로 에디터의 수고를 덜어준다.
- 표나 테이블의 숫자를 잘못 적거나, 그림 첨부를 잊고 잘못된 포맷을 사용하는 기본 실수를 피한다.
- 재투고를 부탁 받을 때는 에디터와 리뷰어가 제기한 모든 세세한 사항들에 대하여 감정적으로 반응하지 말고 체계적으로 답변해야 한다.
- 원고가 제대로 진행되지 않고 있다고 생각될 때에는 편집부에게 연락을 하도록 한다.
- 편집부와 연락을 취할 때는 예의 바른 태도로 의사 표현을 분명하게 하고, 본인의 주장을 일관되고 전문가다운 태도로 펼치도록 한다.
- 원고를 여러 학술지에 제출하지 말도록 한다. 에디터이 이를 알아버릴 것이고 이러한 행동을 혐오한다.
- 모든 공동저자가 원고를 읽었으며 논문에 기여를 했어야 한다. 자신의 연구를 대중에게 대변할 정도로 충분한 기여를 했는가?

상황에서 에디터가 학술 에디터를 통하여 좋은 보고서를 빨리 받아볼 수 있게끔 촉구하는 것이 중요하다.

따라서 편집부의 직원들은 컴퓨터의 논문 추적 시스템의 도움으로 활발하게 심사 중인 모든 원고가 신속하게 진행되고 있음을 정기적으로 확인해야 한다. 적어도 한 달에 한번은 정당한 이유 없이 지연되는 원고가 없는지 확인할 시간을 내야한다. 다른 것은 몰라도 편집장이 저자들에게 그만큼은 보장해줘야 한다. 하지만 몇 주 동안 원고에 대해 연락이 없다면 저자도 주저 없이 편집실에 연락해야 한다(표 17.1). 아무리 효율적으로 운영되는 편집실이라도 실수가 있기 마련이다.

거절된 원고

대부분 학술지의 원고 거절률이 약 60%가 넘는다. 상당한 양의 논문들은 과학적인 기여도가 없어서가 아니라 학술적인 면에서 상위 40%에 들지 못하기 때문이 서 절당한다. 어떤 저자라도 거절을 당하면 실망하지 않을 수 없다. 에디터들도 동병상련을 겪었으므로 그 심정을 잘 알고 있다. 원고를 거절당한 저자들은 흔히 화를 내고 좌절하며 에디터에게 큰소리로 항의한다. 저자가 경력이 많을수록, 적대감은 더 높아진다. 이때 사적인 감정으로 무례하게 행동하지 않도록 노력해야 한다. 당신의 평정심을 잃지않은 논리적인 답변이 에디터를 움직일 것이다. 때로는 다른 리뷰어(당신의 원고가 거절됐다는 사실을 알지 못하는 자)가 원고를 재검토 할 수도 있다. 그러나 일반적으로 결정이 뒤집어지는 경우는 드물다.

사설, 종설 그리고 서신

편집장은 학술지가 발행될 때마다 적어도 한 건의 사설과 종설이 실리는지 확인해야 한다. 이 글들은 주로 글을 쉽게 잘 쓰는 전문가들의 기고로 이루어지기 때문에 편집이 어렵지 않다. 그러나 국제적으로 저명한 저자들은 매우 바쁜 이들이라 출판기한을 넘기는 것이 흔하며 기고를 받기 쉽지 않다. 편집장은 이들의 기고로 인해 자신의 학술지와 그 영향력이 증가한다는 사실을 명심하고 이런 전문가들을 신중하고 존중하는 태도로 대해야 한다. 따라서 편집장에게는 각기 다르게 진행 중인 사설과 종설들이 있을 것이다. 학술지 편집위원회는 그런 원고들을 직접 쓰거나 수준 높은 기고가를 초대하는 방법으로 편집장을 정기적으로 지원해줘야 한다.

편집부에게 책을 검토해달라는 출판사의 의뢰도 정기적으로 들어온다. 책을 검토하는 일은 편집장에게 특별히 힘든 업무는 아니지만, 검토를 맡은 전문가들에게 서평을 신속히 받기 위해서는 감언이설로 받아내야 하는 경우가 많다. 편집장은 자신의 학술지에 새로운 책들의 서평이 빨리 올라오길 원하며 출판에 있어서 다른 경쟁지를 이기고 싶어한다.

이와 대조적으로 '편집장에게 보내는 편지'는 의뢰하지 않았음에도 불구하고 자주 들어온다. 정당한 지적을 하거나 보탬이 되는 내용이더라도 글의 수준은 대부분 형편없다. 편집장 혹은 편집부 직원이 이렇게 물밀 듯이 밀려오는 서신들을 편집하는 임무를 맡는데, 이 일은 과학학술지 이 일은 과학학술지 운영에 매우 큰 비중을 차지한다. 요즘은 서신들이 흔히 학술지 웹사이트에 기재되며 논문을 신속하게 처리하고 넘길 수 있는 장점이 있다. 특히 전망 있는 연구에 대해 코멘트가 달리거나 기구 오작동, 혹은 약의 부작용 반응에 대해서 보고할 때 매우 중요하다. 에디터는 그 이후에야 제출된 논문을 더욱 신속하게 진행하여 출판할 수 있다. 또한 학술지 웹사이트는 더욱 많은 독자가 논문에 대해 코멘트를 할 수 있게 권장하는데, 이는 모든 편집장에게 중요하다[2]. 그러나 세부사항에 충분히 주의를 기울이지 못한 글이 제출된다는 단점도 있다. 본인이 쓴 서신들이 기재되길 바라는 저자라면 상당한 노력을 기울여야 한다. 웹사이트에 올라온 서신들 중 지면에 실을 서신을 고르는 작업은 서신에 담긴 내용 뿐만 아니라 쉽게 이해할 수 있는지에 따라서도 결정된다.

때로는 에디터가 전문가의 의견을 얻기 위해 '편집장에게 보내는 편지'를 전문가에게 의뢰하는 경우도 있는데, 학술지에 최근에 기재된 글에 대한 내용이 아닐 경우 더욱 그러하다. 따라서 당신의 서신에 대해서 전문적인 학술논평을 받는다 해도 놀라지 말아라.

서신을 처리하는 일은 끝기 없기 때문에 편집장에게 매우 큰 부담으로 작용한다. 서신은 학술지에서 가장 많이 읽히는 부분 중 하나이기 때문에, 독자들이 활발한 게시판을 즐길 수 있도록 잘 처리하는 것이 중요하다.

발행물 수집하기

편집장에게 즐거운 업무 중 하나는 학술지의 매 호마다 그 구성을 어떻게 할지 디자인하는 일이다. 모든 편집장들은 논문이 빨리 출판될 수 있도록 편집부를 통해 원고를 효율적으로 빨리 편집하기를 권장한다. 에디터는 이 점에 있어서 자신의 분야에 있는 다른 과학 학술지와 경쟁한다. 학술지가 논문을 효율적으로 처리한다는 좋은 평판을 얻게 되면 저자들이 논문을 제출할 가능성이 더 높아지기 때문이다. 따라서 그 학술지는 더욱 수준이 높은 논문을 받아 심사 후 출판할 것이며 학술지의 인용지수가 높아질 수도 있다. 논문이 지면에 인쇄되기 전에 학술지의 웹사이트에 기재되면서 출판승인 기간이 상당히 단축된 학술지들이 많다[3]. 또한 오픈액세스를 통해 논문 출판이 승인되자마자 학술지 웹사이트에 논문이 기재될 수 있도록 저자에게 비용을 받는 학술지들도 많이 존재한다. 심지어 *BMJ* 같은 대형 학술지는 이런 서비스에 따로 돈을 받지도 않는다[3].

인용지수

에디터는 인용지수의 원리를 믿어야 하며, 한계[4]가 무엇이든 간에 상관없이 자신이 이끄는 학술지를 위해서 항상 이를 높이는 것을 목표로 삼아야 한다. 학술지의 학술적 가치를 측정할 수 있는 더 나은 방법이 없으므로, 모든 편집위원회는 인용지수를 높이기 위해 열심히 경쟁한다. 따라서 바쁜 일상업무에도 불구하고 편집장은 편집팀과 편집위원회와 함께 머리를 맞대고 학술지의 내용이 어떻게 더 개선될 수 있을지에 대해 진지하게 논의하는 시간을 내야 한다. 예를 들어서, 인용이 많이 되지 않는 짧은 보고나 사례보고를 없애는 것이 학술지의 인용지수를 개선하는가[5]? 만약 그렇다고 치고 에디터가 이러한 변화가 학술지의 인용지수에 어떤 영향을 끼치는지 연구할 수 있다면 즉시 고려되어야 한다. 학술지의 인용지수가 부정적으로 변하면 편집장으로서는 압박을 면하기 어렵다. 이에 히스테릭한 반응을 하는 편집장의 입장도 이해할 만하다. 그러니 이를 높이기 위해 치밀하게 노력하되, 인용지수의 통계적 한계와 별스러움도 인지해야 한다.

과학학술지의 외관

에디터는 '제 눈에 안경'이란 말이 진리임을 알고 있다. 과학, 정치, 레저 등 모든 잡지는 반드시 외관이 매력적이어야 한다. 독자는 잡지를 편하게 휴대해야 하며 아주 즐겁게 읽을 수 있어야 한다. 하지만 독자들은 이목을 끄는 미묘한 규칙 변화를 원한다. 독자들은 잡지의 이미지가 매년 똑같은 것을 원하지 않을 것이다. 그러므로 편집장은 자신의 편집팀과 편집위원회 그리고 출판업체와 함께 학술지의 외관 및 설계의 정기적인 변화를 고안해야 한다. 과학학술지의 개선을 위해 조언을 구하는 것은 에디터가 할 수 없는 부분까지 개선시키는데 도움을 준다.

학술지에 게재되는 광고는 정기적인 수입의 중요한 원천이지만 부정확한 보도나 억울한 소송, 치명적인 오류로 인한 곤란한 상황을 피하기 위해서 출판사와 편집장이 반드시 확인 할 필요가 있다. 출판사는 과학학술지마다 잡지의 어느 부분에 광고를 실어도 좋을 지에 관한 규정을 정확히 인지하고 있어야 한다. 예를 들어서, 광고가 논문 본문 중간에 실리도록 허락하는 편집장이 있는가 하면 어떤 편집장들은 사설과 종설 같은 글의 섹션 사이에 실리는 것을 허락한다.

팀의 협력

편집장은 아주 지적인 에디터들로 이루어진 팀의 리더이며, 그 구성원들은 모두 분주한 삶을 사는 이들이다. 그렇기 때문에 에디터나 리뷰어 누구에게도 과중한 업무가 돌아가지 않도록 배려하는 게 편집장의 몫이다. 그렇지 않으면 그 에디터나 리뷰어는 학술지 업무를 제대로 완수하지 못할 것이다[6]. 또한 편집장은 편집부와 출판 직원들 사이의 관계가 화목하고 일을 효율적으로 하고 있는지 확인해야 하며, 분란이 있다면 신속히 해결해야 한다. 편집장은 과중한 업무를 맡고 있지만, 팀원 모두가 만족스러운 회사생활을 하고 있는지 항상 신경쓰며 정기적 모임을 통해 문제를 의논하고 해결해나가야 한다.

투명성

편집장은 시대적흐름에 맞게, 자신의 학술지의 모든 기능이 완전히 이해하기 쉬운지 확인해야 한다[7]. 저자나 독자가 학술지의 웹사이트에 들어갈수 있어야 하며 학술지의 규정에 저자들과 리뷰어 및 에디터의 이해관계의 상충, 편집부의 일정 및 출판비용, 편집위원회의 모임 일정 등의 상세한 정보를 얻을 수 있어야 한다. 학술지의 이미지가 될 수 있는 모든 정보와 요구사항이 최신으로 업데이트 되어 있는지 확인하는 것은 궁극적으로 편집장의 책임이다.

항의

저자들은 편집실이 쉽고 편하게 소통하는 '문호개방정책'을 가지고 있음을 인지해야 한다. 편집장은 매일 접수되는 문의사항에 신속하고 신뢰 있게 응하는 사무실로 이끌어 가야 한다. 실제로 문의사항이 전화, 이메일(점점 증가하는 추세), 팩스, 그리고 우편으로 폭주한다. 저자가 문의사항에 대한 아무런 답변을 듣지 못한다면 그 학술지의 이미지가 좋을 리 없을 것이다. 따라서 저자의 의견은 항상 고려되어야 한다.

편집장에게는 항의를 처리하는 일이 매우 시간이 많이 소비되는 일이다. 항의는 상세한 검토와 적절한 응답을 해야하며, 필요에 따라 사과문을 기재하기도 해야 한다.

분주히 돌아가는 편집실에서 실수가 일어나서는 안되며 자신의 팀원 중 한 명이 저지른 실수라 할지라도 편집장이 모든 책임을 져야 한다. 편집장은 실수의 원인을 파헤쳐서 최대한 빨리 수정하고 이는 출판사 혹은 저자, 에디터가 할 수 있다.

이와 대조적으로 편집장은 편집팀을 속이거나 혼란을 주려고 하는 저자를 항상 경계해야 한다. 이러한 저자들이 실제로 존재하며 보통 매우 지적인 자들이다. 이들의 동기는 짓궂거나 개인적일 수 있으며 경쟁심이나 과시욕에 의한 경우도 있기 때문에 편집장은 각양각색의 사람들과 상대할 수 있는 능력을 갖춰야 한다. 편집장은 광범위한 지식을 갖추고 있는 것이 바람직하다. 아무리 중요한 세부 분야의 전문가라 하더라도 편집장이 당면하게 될 과학적 윤리적 범위 전부를 상대하기에는 벅차기 때문이다.

윤리적인 문제

편집장에게는 언제라도 저자 혹은 리뷰어나 에디터가 일으킨 문제를 처리해야 하는 경우가 발생하며 이것은 반드시 엄격한 기준으로 처리되어야 한다. 출판윤리 위원회(Committee on Publication Ethics, COPE)[8]는 에디터들이 이러한 문제를 처리하는 데 도움을 주고자 이에 대한 상세한 지침서를 출판했다(http://www.publicationethics.org).

표절, 이중 혹은 중복 출판, 사기 데이터(위법행위)가 실제로 범해졌는지 확인하는 작업은 편집장에게 매우 시간이 많이 소비되는 작업이다. 하지만 이 문제들은 항상 알맞게 처리되어야 한다[9]. 해당 논문을 먼저 출판한 다른 과학학술지의 (영어가 모국어가 아닐 수도 있는) 에디터와 연락이 필요한 경우도 흔하다. 기밀정보를 국제적으로 처리하는 일은 세부적으로 처리하는 인내심이 필요하며 최고의 도덕 기준을 필요로 한다.

저자는 본인의 논문이 이러한 조사 대상이라는 점을 알 권리가 있다. 편집장의 모든 조사 과정은 저자들에게 반드시 통보해야 하며 답변할 권리 역시 주어야 한다. 편집장에게는 법적인 권한이 없으므로 저자에게 해명을 구하고 자신의 학술지의 윤리 기준을 가장 높게 유지하는데 합당하다고 생각되는 행동을 취해야 한다[10]. 대부분 이러한 문제는 학술지의 사설 끝에 공식적인 사과문을 싣게 한다. 또한, 의대학장과 같은 범법자의 고용주에게 연락을 취해 문제에 대해 알리는 경우도 흔히 있다.

비밀보장

편집장이 받은 모든 교류 내용은 그 본질과 관계없이 반드시 기밀로 간주하여야 한다. 편집장은 저자의 연구를 존중하는 마음으로 대할 뿐만 아니라 자신이 이끄는 편집팀 전원도 직위에 상관없이 이를 반드시 유념하도록 만들어야 하는 책임이 있다.

결론

과학학술지의 편집장이 되는 일은 대단한 특권이면서 동시에 아주 부담되는 직책이다. 어떤 편집장은 이를 '요구사항이 많은 여자와 사귀는 느낌'이라고 비유하기까지 했다[1]. 편집장은 항상 대중의 눈, 더 나아가서는 국제적인 시선 아래 놓이며 일을 한다. 그러니 자신의 학술지를 위해 늘 가장 높은 과학적, 윤리적 기준을 유지하기 위해 애써야 한다. 물론 불가피하게 이를 지키지 못하는 경우도 생기겠지만 이 경우가 많아서는 안된다.

참고문헌

1. Harmer M. A moment to reflect. Anaesthesia 2003;88:1159–61.
2. Hunter JM. A fond farewell. Br J Anaesth 2005;94:145–6.
3. Groves T. Why submit your research to the BMJ? BMJ 2007;334:4–5.
4. Smith G. Impact factors in anaesthesia journals. Br J Anaesth 1996;76:753–4.
5. Hunter JM. The latest changes ⋯ no more shorts. Br J Anaesth 2004;92:7.
6. Smith G. Personal reflections. Br J Anaesth 1997;79:1–2.
7. Todd MM. The best years of my life. Anesthesiology 2007;106:1–2.
8. Committee on Publication Ethics. Guidelines on good publication practice. The COPE Report, London, BMJ Publishing Group, 1999 and 2003.
9. Hunter JM. Plagiarism–does the punishment fit the crime? Vet Anaesth Analg 2006;33:139–42.
10. Hunter JM. Ethics in publishing :are we practising to the highest possible standards? Br J Anaesth 2000;85:341–3.

제18장 출판사의 업무

가빈 샤록 / 엘리자베스 웨렌

영국, 옥스퍼드, Wiley, 의학 학술지 편집부

논문의 출판이 확정되면 그 논문은 해당 학술지의 출판사로 넘어간다. 많은 저자들이 출판 과정과 그외 논문에 대한 다른 작업들이 어떻게 이루어지는지 잘 알지 못한다. 출판사는 학술지의 가치를 높이는 데 일조하며, 비록 저자에게 직접적인 영향은 가지 않지만, 전체적인 사업의 성공을 위하여 중요한 역할을 하게 된다. 출판사는 편집, 출판, 마케팅, 프로모션, 구독 및 유통(온라인과 지면), 재정 및 기록 보관 등의 다양한 역할을 하게 된다.

편집

다른 전문직과 달리 출판업에는 같은 일을 하지만 다양한 명칭을 가진 직위가 존재하며('제작' 참조) 편집부는 더욱 그러하다. 학술지 출판 매니저(학술지에디터, 학술지 출판인)는 전체 편집에서 중심적인 역할을 하며 내부와 외부의 동료들과 소통하는 일을 한다. 학술지 출판 매니저는 편집부에서 학술 에디터, 저자들, 학회 그리고 여러 관련된 출판사 내부부서들과 긴밀한 연락을 주고받는 연결고리 역할을 한다. 학술지의 명성을 높여주는 소수의 헌신적인 외부 학술에디터는 전문직을 가진 사람들로서 보통 의사이거나 학자, 또는 둘 다인 경우가 많다. 약소하거나 아무런 보상 없이 편집활동에 전념하는 이들은 출판사로부터 전적인 지원과 함께 편집에 관한 전문성을 발휘해주길 기대한다.

편집부는 또한 편집주간이나 편집보조인을 통해 학술지 에디터를 지원한다. 편집주간과 편집보조는 편집사무실의 운영을 전적으로 책임지고 있으며 일상적인 논문 제출과 상호 검토 과정을 관리한다. 반면에 학술지 출판 매니저는 출판사의 사업적인 회계 업무를 맡고 있다.

편집주간과 편집보조

인터넷의 발달로 논문 제출 및 상호 검토 과정의 운영 방식이 완전히 바뀌었다. 요즘에는 웹 시스템을 갖추지 않은 학술지를 찾아보기 어렵다. 웹 기반 원고 처리

124

시스템으로 학술지 에디터와 편집부 팀원들은 상호 검토 과정을 매끄럽게 진행할수 있게 되었고 우편을 없애게 되면서 논문 제출부터 게재 결정까지의 시간이 상당히 단축되었다. 모든 업무를 종이로 해왔던 편집 사무실도 지리적 위치가 중요하지않게 되면서 출판사, 학술지 에디터, 출판 매니저 각각이 다른나라에 거주하는 시대가 됐다. 그래서 출판사는 재택근무로 똑같이 일을 처리할 수 있는 편집부 업무를프리랜서에게 종종 맡기게 되었다.

학술지 출판 매니저

  학술지 출판 매니저의 주된 역할은 학술지 포트폴리오를 관리하는 것인데, 보통본인의 전공분야를 맡게 된다. 이 역할은 각 타이틀의 재정관리와 사업개발, 학회와의 관계와 소통, 그리고 학술 에디터와 편집팀을 지원해주는 업무를 맡는다. 또한, 이들은 내부 출판팀의 성과를 책임지며 간접적이지만 논문제출, 마케팅 및 영업 출판(온라인과 인쇄), 그리고 정기구독과 유통 등 학술지 출판 과정의 다양한 요소들을 감독한다.

  학술지 출판 매니저는 에디터 또는 필요시에는 학회 사무원들과 정기적으로 교류하며 학술지의 성장을 이끌도록 출판과 관련한 지침과 전문 지식을 제공한다. 이것은 출판 사업 모델의 발전 뿐만 아니라 기술적인 발전을 통하여 계속 변화하는 시장상황을 따라잡을 수 있는 요구 조건을 충당하기 위해 필요하다.

  현재 과학, 기술, 의학 학술지의 대다수가 종이 대신 온라인 출판을 하거나 두 가지를 병행하고 있다. 학술지의 온라인 버전은 검색엔진, 보충자료, 지난 발행물 기록 보관, 주제별 컬렉션, 이메일 알림, RSS 피드, 소셜 네트워크와의 기능 등 여러부가적 요소들을 가지고 있다. 실제로 많은 경우 온라인판이 모든 학술지에서 가장중요한 초점이 되고 있으며, 인쇄된 종이 학술지는 그저 마케팅 상품으로 전락하고있다.

  더욱이 학술지 출판 매니저가 사업개발 책임까지 지는 경우도 많다. 이것은 새로운 학술지를 기획하기 위해 시장을 분석하고 연구하는 일뿐만 아니라, 경쟁 관계에있는 학술지의 위상을 따라잡을 수 있을지 타진하는 일 등을 포함한다. 새로운 학술지를 개시하는 데는 시간과 재정적인 면에서 출판사의 상당한 투자가 요구되므로 시장에 나오는 새로운 학술지의 수가 상대적으로 적다는 것이 수긍이 갈 것이다. 그렇긴 하지만 논문의 전문이 무료로 공개되는 학술지가 나타남과 함께 그 진입의 장벽이 어느 정도 낮아진 것은 사실이다. 이러한 논란이 시작되기 10년 전 출판사들은 오랜 기간 지속해 온 전통적인 학술지 유료구독 사업모델에 대한 대안을 찾아야 한다는 압박을 받아왔다. 이 압박에 대한 결과로 대부분 출판사는 두 가지의 전체공개 옵션을 제공하고 있으며 두 가지 모두 저자가 구독료를 내는 방식이다. 첫 번째는 하이브리드 옵션으로 비구독자들도 자신의 논문을 읽을 수 있게 하거나, 연구비 지원처가 해당 논문의 최종본을 연구비 수령자에게 직접 저장하여 보관하도록 하는 방식이다. 두 번째 옵션은 원문을 전체공개하는 학술지가 점점 증가함에 따라 저자의 직접 제출과 함께 소위 후원자와 자매학술지로부터 바로 공급받는 방식을 병행하는 것이다.

저작권

출판과정의 한 시점에서 저자가 학술지나 출판사에 저작권을 양도해야 할 경우도 있다. 이때 인정되는 법적 서류가 바로 '저작권 이양계약서(Copyright Transfer Agreement, CTA)'이다. 유럽 저작권법에 의하면 출판사는 논문이 온라인상에 기재되기 전에 서명된 CTA를 받아야 하며 많은 학술지가 이것을 논문제출 과정의 전제조건으로 요구하는 경우가 증가하고 있다. CTA를 적절한 시기에 제출하는 것은 저자에게나 에디터에게나 매우 중요하며, 이러한 권한이 없다면 출판사가 전자 포맷으로 글을 게재할 길이 없기 때문에 사람들이 논문을 접할 수 있는 방법이 심각하게 제한된다.

발췌 인쇄본

지면으로 된 발췌 인쇄본을 사느냐 마느냐는 저자의 선택이지만 PDF로 된 발췌 인쇄본을 무료로 제공하기 시작하면서 지면으로 된 발췌 인쇄본을 저자에게 무료로 제공하는 것이 불필요해졌다.

제작

출판 승인이 떨어지면 원고는 출판사의 제작팀으로 전송된다. 그 후, 원고는 수정이 되고 저자가 확인할 수 있게끔 교정본이 나오게 된다. 현재 많은 출판사가 'online first'라는 서비스를 제공하는데, 통과된 저자의 논문이 조판과 수정을 거친 후의 원본이나 최종본으로 온라인에 기재되는 것을 말한다. 이는 논문이 승인된 지 일주일 이내에 Pubmed에 올라갈 수 있다는 것을 의미하며 저자에게는 분명히 엄청난 혜택이다. 학술지의 인쇄판에 최종 편집된 논문이 출판되면 온라인에 출판된 버전이 최종판으로 대체된다.

승인된 원고를 출판하는 일은 제작 에디터, 편집 기술자, 부에디터, 교열 담당자가 한다. 이러한 준비 과정에는 원고가 문법적으로 정확하고 학술지 고유의 양식을 준수하였는지 확인하고 수정하는 것도 포함된다. 이전에는 학술지 내부 제작 편집인이나 프리랜서 교열 담당자가 전적으로 맡았던 업무였지만 현재는 식자공의 업무로 맡겨지고 있는 추세다. 하지만 완성품의 질에 대한 전적인 책임은 출판사가 가지므로 모든 과정을 항상 엄격하게 통제해야 한다. 편집의 상당 부분은 컴퓨터 모니터를 통해서 진행되며 먼저 편집 소프트웨어로 먼저 원본 파일의 불필요한 서식을 제거하고 약간의 스타일을 가미한 후 진행된다. 또한 제작편집인은 철자법, 문법, 구두법, 대문자 사용, 수학적 규정이 학술지에서 인정되는 규정을 따르며 논문의 문체가 적절하게 전개되었는지 확인한다. 또한 제작 편집인은 정확성과 일관성을 추구하며 상이한 부분, 누락 부분, 혹은 모순의 가능성을 찾아내야 하는 책임을 지고 있다. 이러한 문제나 우려가 있을 때는 저자에게 문의하는 방식으로 의논하고 수정해 나간다. 그리고 그림과 표를 다루며 정확한 크기로 맞추고 본문에 위치시키는 일 외에 필요 시에는 다시 그리거나 재배열하는 일도 담당하게 된다.

교정쇄가 발행되기 위해 편집된 원고는 식자공에게 넘겨진다. 교정쇄는 제작 편집인이 읽고 수정 후 저자와 에디터에게 보내질 것이다. 저자와 에디터는 시간적, 금전적 제한으로 인해 교정쇄에 실질적인 변화는 가하지 말아 달라는 조심스러운 지시를 받는다. 학술지 출판은 사전에 동의된 일정에 맞춰 진행되고 이를 확실히 준수하도록 하는 일은 제작 편집인의 몫인 것이다. 따라서 수정본을 늦게 보내는 저자나 에디터를 들볶는 일 또한 제작 편집인의 몫인 것이다.

간행물 편찬은 주로 에디터가 하지만 이 업무는 때때로 제작 편집인에게 돌아갈 수도 있다. 일단 간행물이 편찬되면 제작 편집인은 원고를 출판하기 위해 최종 교정쇄를 통과시키는데, 바로 이 시점이 온라인본과 인쇄본의 운명이 갈리는 지점이다.

인쇄 준비된 파일은 인쇄하기 위해 보내지며 제작팀은 알맞은 인쇄업체를 선정하고 제 시간 내에 비용 효율적으로 출판될 수 있도록 책임을 진다. 또한, 제작팀은 에디터와 함께 표지를 선택하는 책임과 학술지의 전반적인 품질과 외관에 대한 책임도 맡는다.

출판사는 제3자나 회사 내부에 학술지 웹사이트를 만들고 운영하는 임무를 맡긴다. 간행물이 완성되면 전자파일은 웹사이트에 업로드 되기 위해 웹사이트를 운영하는 회사로 보내진다. 이 과정은 인쇄 과정보다 빠르기 때문에 인쇄본이 구독자에게 배달되는 것보다 앞서 온라인에 더 빨리 개시되는게 보통이다.

완성 및 유통

출판이 끝나면 출판사는 해당 학술지를 구독하는 모든 이들에게 온라인이든 인쇄물로 간행물을 유통하는 책임을 진다. 출판사가 자체 내에 있는 창고에서 직접 모든 유통 처리하는 경우도 있으나 요즘은 구독자의 우편주소를 인쇄소에 보내 간행물을 대신 발행하는 경우가 많아지고 있다. 대량 해외배송의 경우 통신판매 회사로 항공편으로 운송된 후에 해당 국가의 우편서비스를 이용하여 유통된다. 또한, 출판사는 분실에 대한 항의, 과월호 판매 및 낱권 판매도 처리해야 하므로 창고에 별도 여유분을 보유해 둔다.

판매 및 마케팅

기관, 회원, 그리고 개인 구독

일반적으로 학술지 수익의 상당 부분은 기관, 학회 같은 회원제 조직, 또는 개인의 유료 구독료로 채워진다. 이것을 소위 저자 지불모델이라고 부른다. 각 출판사의 판매 전략에 따라서 기존의 유료구독과 함께 인쇄본이나 온라인본이 묶음으로 같이 제공되거나 따로 제공될 수도 있다. 또한 학술지를 구독하는 기관은 동시에 구독하는 사용자, 기관의 규모, 온라인본을 구매할 경우 할인되는 인쇄본, 빅딜이라고 불리는 출판사의 전체 포트폴리오를 저렴한 가격에 판매하는 경우 등에 따라 복잡해질 수도 있다. 그러나 많은 도서관 사서들이 전체 포트폴리오를 구매하는 것을 불필요하다고 여기기 때문에 출판사들은 빅딜로부터 벗어나 각 사서의 필요에 따라 좀 더 작은 규모로 된 맞춤형 구독을 제공하려고 노력한다. 현재는 많은 출판사가 라이선스 모델을 회사의 판매전략의 중심으로 삼고 있다. 대체로 이 라이선스 모델은 두 가지 요소로 구성되는데, 바로 정기구독 방식과 비정기구독 방식이다. 도서관이 몇 년간의 온라인 정기구독의 허가와 그에 따라 정해진 가격을 지불하며 구독하는 정기구독 방식이 가장 흔하다. 비정기 구독은 덜 흔하며 평소에는 구독을 하지 않고 도서관 내에 보유하는 것들 이외에 필요한 자료를 구입하기 위해 추가 지불을 해 구매하는 방식이다. 최근에는 도서관 사서들이 자신들이 보유하는 간행물의 사용량 통계를 볼 수 있게 되면서 사용되지 않는 학술지는 구독취소가 될 위험에 놓인다.

기관이나 도서관의 학술지 구독의 판매는 대부분 중간도매상이 처리하며 출판사와 도서관 사서들 사이의 가교 역할을 한다. 수천 개의 학술지 구독을 구매하는 도서관 사서로서는 중간도매상 한 곳과 거래하는 것이 구매 과정의 번거로움을 줄인다.

학회의 공식 학술지 또는 제휴 학술지의 경우 해당 학회 회원들은 자동으로, 혹은 의무적으로 구독을 하게 되며, 그 비용은 매년 내는 학회 회비에서 충당된다. 학회를 상대하는 장점 중 하나는 학회가 매년 정기구독 갱신을 알아서 처리해준다는 점이다.

많은 학술지가 학회에 소속되지 않은 개인에게는 할인된 요금으로 개인정기구독을 제안한다.

많은 출판사는 현재까지도 관례적으로 학술지의 증정본을 에디터와 편집위원회 회원, 초록을 배포하는 *Pubmed (Index Medicus), Current Contents, Scopus*, 영국 국립 도서관 및 다른 대형 도서관들에게 제공한다.

광고 판매

학술지 독자는 해당 학술지에 광고되는 제품이나 상품의 중요한 구매계층이기 때문에 일반 학술지와 임상전문 학술지의 판매 부수가 높으면 매 간행물마다 광고지면에서 상당한 수익을 얻을 수 있게 된다. 학술지에서 광고는 매우 민감한 문제이기 때문에 광고의 양, 내용, 그리고 위치가 출판물의 전반적인 양식을 책임지는 편집팀의 엄격한 통제 아래 규정된다. 주로 사내 영업팀 내에 속하게 되는 광고팀은 학술지의 전반적인 균형이 유지되도록 주의를 기울여 편집팀과 밀접하게 소통한다.

학술지에 광고를 게재하는 가장 흔한 회사는 제약업계이지만 의료기 제조업체, 학술 대회나 이벤트 주최자, 또는 출판사도 자신들의 제품을 홍보하기 위하여 학술지를 이용한다.

최근 몇해 동안 온라인 광고가 증가하긴 했지만 미국 이외의 나라에서는 아직 실질적인 수익을 얻지 못하는 실정이다.

재판 판매

제약회사들은 임상시험 결과나 약의 새로운 효능 등이 실린 자신들의 이해관계에 따라서 개별 논문을 대량으로 구매하기 원하는 경우도 종종 있다. 제약회사를 위한 마케팅 목적으로 특정한 약에 대한 논문을 재인쇄하여 구독자에게 종종 배분하곤 한다. 최근 몇 년 사이 전자출판물의 PDF 판매가 증가했는데 이는 제약회사들이 마케팅의 비중을 높이지만 드는 비용을 줄이기 위해 여러 수단을 취하기 때문이기도 하다.

별책부록

간혹 학술지들은 별책을 출판하기도 하는데 흔히 특정 테마나 관심이 많은 주제를 다루고 있으며 보통 제약회사들의 재정적 지원을 받는다. 이러한 별책부록이 중요한 수익원이 될 수 있으나 편집품질이 현저히 떨어지는 경우에는 많은 비판을 받기도 한다. 그러므로 학술지들은 후원을 받아 출판하는 별책부록을 엄격한 규정에 따라 출판 여부를 결정해야 하며, 편집팀은 상호 검토 과정 중에 출판 수준에 미달이라고 판단되는 것들은 정중히 거절할 수 있는 통제권을 지켜야 한다.

권리와 '개별 과금 방식'

학술지 판매는 1년 구독뿐만 아니라 개별 판매도 포함한다. 인터넷으로 인해 학술지를 다른 언어로 번역한 번역본을 출판할 권리, 해외시장에 맞춰 수정된 영어판 간행물을 출판할 권리, 표나 그림을 재사용할 권리, 저개발 국가에 판매하기 위한 저가 인쇄판을 출판할 권리 등의 기회가 더욱 많아졌다. 현재는 이러한 과정의 대다수가 온라인으로 이루어지며 많은 사용자가 온라인 콘텐츠를 보기 위해 비용을 지불하고 있다. 출판사들은 또한 학술지의 판매 부수를 높이기 위해 Ovid나 Ingenta와 같은 통합관리 사이트에 학술지의 내용과 개인정보 판매권리를 주고 있다. 이것을 통하여 학술지 구독을 하지 않는 다른 시장을 접근할 수 있다.

인터넷으로 인해 논문을 개별적으로 읽는 것이 더욱 쉬워졌으며 개별 논문이나 개별 서비스를 위한 지불 시스템이 대두됨에 따라 비구독자가 하나의 논문이나 일정한 기간 동안 전체 사이트에 접근하는 일이 더욱 쉬워졌다.

마케팅

학술지 모델의 특이한 점은 학술지 '이용자들', 즉 연구원들, 의사들, 전문가들, 또는 학자들이 학술지의 '구매자'가 아니라는 사실이다. 학술지 성공의 핵심 지표는 온라인 사용, 혹은 초록 및 전체 본문 글의 다운로드 횟수이며, 이 척도는 도서관 사서들이 구독을 갱신할지에 대한 결정을 하는데 점점 더 중요한 역할을 한다. 자주 다운로드 되지 않는 ('기관, 회원, 그리고 개인 구독' 참조) 온라인 학술지의 구독을 왜 쓸데없이 보유하겠는가? 도서관 장서의 통합과 예산제한은 학술지의 감소율을 최대 10%까지 늘릴 수 있으므로 출판사들은 구독률을 높이 유지하는데 총력을 기울인다.

학술지의 구독률을 높이기 위해서 학술지는 가능성 있는 구독자들을 대상으로 끊임없이 홍보해야 한다.

또한, 출판사의 구독이행 부서는 구독을 끊은 고객들에게 다시 학술지를 재구독할 수 있도록 권장해야 한다. 대부분의 출판사는 각 기관의 도서관 사서들 혹은 유수한 협회(구매력을 높이기 위해 모인 도서관들)의 대표들과 직접 얼굴 보면서 만나는 국제영업팀을 유지하는데 많은 재정을 지원하고 있다.

마케팅 부서는 시장 및 제품 조사를 수행하고 홍보자료, 매스컴, 그리고 광고를 제작하는 일을 맡는다. 학술지 영업부는 시장의 소리를 '듣고' 시장에게 '말한다'. 출판사의 전략과 특정 분야에 출판된 학술지의 숫자에 따라 마케팅 전략을 학술지 레벨에서 진행할지 아니면 주제 레벨에서 진행할지 결정된다. 학술지는 이메일, 우편, 또는 출판물의 광고 등의 방식으로 홍보하고, 전문가 미팅이나 학회에 선보이는 것이 중요해지고있다. 이메일은 많은 대상에게 큰 비용을 들이지 않고 빠르게 접근할 수 있는 점에서 아주 효과적인 마케팅 수단이며 광고 사이트의 클릭 숫자와 그림의 다운로드 숫자에 따라 마케팅 성공률을 판단할 수 있다. 인터넷은 광고전략가들에게 학술지 사용자의 정보를 수집하는 데 유용하고 효과적이며, 웹사이트 사용통계는 앞으로의 편집 및 마케팅 전략 수립에 중요한 역할을 한다.

재정

출판사는 수익 창출, 청구서 발행, 현금 유동성의 통제, 기록 유지, 공급자 비용 지불을 포함한 모든 학술지 사업의 재정적인 면을 책임진다. 학술지 성장의 장기적 전략의 핵심은 재무관리와 재무보고를 잘 하는 것이다.

결론

19세기 스팀 프레스의 발명과 함께 지난 200년간 고속성장을 누려온 출판업은 이제 전례 없는 변화의 시기에 접어들었다. 더군다나 인터넷의 출현으로 인해 출판사들은 지금까지 유지해왔던 대부분의 전통과 관례를 방어하도록 강요 받을 수 밖에 없었다. 이러한 변화에도 불구하고 출판사가 지속해서 보여주고자 하는 '글'의 가치를 이 글이 잘 표현했길 바란다.

제19장 스타일은 무엇이고 왜 중요한가?

샤론 렝

영국, 옥스퍼드, Wiley, BJU 인터네셔날

옛날 옛적에… 전문적인 글에서는 보기 드문 시작이지만 글의 스타일과 장르는 서로 관련이 있음을 강조하는 장이기 때문에 적절하다고 생각한다. 방금 당신은 글의 첫 몇 단어를 읽고 과학 논문의 서론이 아닌 '동화'를 연상했을 것이다. 글의 스타일은 매우 중요하며 글의 내용을 반영할 수 있어야 하지만 절대적인 규정은 몇 가지 없을 뿐만 아니라 가끔은 이러한 규정을 어기는 것이 글쓴이가 말하고자 하는 것을 더욱 효과적으로 표현한다. 궁극적으로 좋은 과학 논문이란 본인이 말하고자 하는 것을 분명하게 전달하는 글이다.

대부분의 의학/과학 학술지는 저자에게 상세한 규칙을 주기 때문에 논문의 '스타일'을 추측하지 않아도 알 수 있다. 하지만 그것 또한 하나의 구조적 틀이며, 당신의 의무는 가능한 많은 독자가 쉽게 이해할 수 있게 쓰는 것이다. 과학 논문은 물론 정확하고 정밀해야 하지만 꼭 복잡하고 따분해야 한다는 뜻은 아니다.

영향력 있는 논문을 쓰기 위해서는 다음과 같아야 한다.

- 논리적이어야 한다.
- 명료해야 한다.
- 정확해야 한다.
- 간결해야 한다.

모든 학술지는 글의 구성이나 참고문헌의 양식과 같이 정해진 규정이 있다. 본인이 제출하려는 학술지에 최근에 게재된 논문을 보며 학술지의 전체적인 양식에 익숙해지는 것도 좋은 방법이다. 그다음에 비로소 당신은 글의 명확성, 정확성, 준엄성에 대해 집중할 수 있을 것이다. 단기기억의 한계와 글의 주제에 익숙하지 않은 많은 독자를 생각해서 문장의 구성과 용어들은 최대한 간결해야 한다. 많은 사람들은 글을 복잡하게 쓰는 것이 그들을 학문적이고 권위적이게 보일 것이라고 생각하지만 언제나 그 정반대이다.

논리적 표현

논리적 표현을 갖춘 많은 출판물을 보면 다음과 같은 요소를 포함하고 있다.

- **제목.** 간결하지만 유익하게 하라; 주제를 기술해야 하지만 결론을 언급하지는 말아야 한다.
- **저자 목록과 소속기관**
- **저자의 주소.** 교정쇄가 보내질 이메일 주소를 제공하라; 논문 내용의 총괄적인 책임을 담당하는 저자의 이메일이어야 한다.
- **핵심단어.** 3개에서 6개의 핵심어 목록; 검색자가 제목에 포함되지 않은 어떤 핵심어를 검색할지 생각해본다.
- **초록.** 논문의 세부사항을 알고자 하는 사람들이 남은 부분을 읽게끔 설득력 있는 요점들을 간단명료하게 제시한다. 이 부분은 300단어 이내여야 한다.
- **서론.** 연구의 참고지식과 목적; 연구의 결과와 결론을 언급하지 않는다.
- **방법.** 연구를 재현하거나 비슷한 연구를 하기 원하는 자들을 위해 기기장치, 도구/약물, 임상연구인 경우 환자통계, 자료 분석 등의 세세한 정보를 포함한다.
- **결과.** 표와 그림을 이용해 결과를 보여주되 글에서의 내용을 반복하지 않는다; 대신에 관련된 표/그림을 참조시킨다. 객관적인 발견 (결과)과 설명 (고찰)은 구분하며, 결과란에 설명을 쓰는 것은 피한다.
- **고찰.** 연구의 결론을 제시할 수 있는 공간이며 이론적 의견을 자세히 설명하여 다른 결과와 어떻게 관련이 있는지 논할 수 있다. 서론과 고찰은 서로를 반영해야 한다; 서론에서는 질문을 제시하고 고찰에서는 그 질문으로 돌아가 얼마나 잘 대답했는지 생각해보아야 한다. 고찰은 짧은 결론으로 끝내야 한다.
- **참고문헌.** 학술지가 요구하는 양식으로 써야 한다. 정확하게 인용했는지 확인한다; 저자를 잘못 인용하게 된다면 그들로부터 존중을 잃어버릴지도 모른다.
- **그림.** 수정해야 할 것을 대비해 그림의 설명문은 글 부분에 제시한다. 학술지가 원하는 포맷으로 그림의 파일을 빠뜨리지 않도록 주의한다.
- **표.** 표는 가능한 가장 간결해야 하며 학술지의 편집팀이 수정할 수 있게 텍스트 파일로 제시되어야 한다. 단위는 줄/열 머리에 표시되어야 하며 표 내에 반복되지 말아야 한다. 표의 내용은 명확해야 한다(%, ±, 등의 기호는 없애라). 표는 수정할때 오류가 많이 발견되므로 교정하는 단계에서 더욱 자세히 살펴보아야 한다.

분명하고 정확한 표현

초록을 가장 마지막으로 미루고 먼저 초고를 쓰는것을 권한다. 그 후에 다음의 사항들을 고려하며 초고를 여러 번 수정하라.

- 대부분의 독자는 영어가 모국어가 아닐 것이므로 그들이 특히 이해하기 힘들 상투적인 문구와 숙어 사용을 피한다. 문장의 용어와 구조가 간결할수록 좋다. '좋은' 논문을 쓰기 위해서는 영문학자가 될 필요가 없다—오히려 방해가 될 수도 있다!
- 논문의 본문에서 단어들을 단축하지 마라. 예를 들어서 'will not'을 'won't'로, 'do not'을 'don't'로와 같은 경우 말이다.
- 구동사와 전치사를 무작위적으로 사용하면 영어가 모국어가 아닌 사람들이 이해하기 힘드므로 피해야 한다(**표 19.1**).
- 동의어의 반복, 즉 뜻이 같은 단어들의 불필요한 반복을 조심하라. 예를 들어서, 'a 24h time period'는 'a 24h period'로, 'was red in colour'는 'was red'로 쓰여야 한다.
- 접두사 'non'의 사용을 자제하라; 많은 저자가 자주 사용하지만 부정확한 경우가 많다. 예를 들어서, 종양은 'nonpalpable'한 것이 아니라 'impalpable'한 것이고 'a nonobstructed view'인 것이 아니라 'an unobstructed view'로 표현되어야 한다. 많은 경우 간단한 문장이 더 낫다; 예를 들어서, 'was non-diagnostic in 21 patients'가 'was not diagnostic in 21 patients'보다 낫다. 사용되는 언어가 완벽하지 않을 경우 이해를 불가능하게 할 수도 있다.
- 또한, 'before'와 'after'의 사용이 더 나음에도 불구하고 접두사 'pre'와 'post'가 사용되는 경우가 많다; 예를 들어서, 'painful voiding was present in 18 of the 30 patients post flexible cystocopy'가 'painful voiding was present in 18 of the 30 patients

표 19.1 흔한 구동사와 대체 가능한 용어

구동사	대체 가능한 용어
Consisted of	Comprised
Drawn up	Devised
Trade off	Compromise
Look at	Assess
Prop up	Support
Zeroed in	Focused
Cut off	Threshold, limit
Prior to	Before
Rule out	Exclude
Build up	Accumulate
Clear up	Resolve
Work-up, check-up	Evaluation

after flexible cystoscopy'로 표현하는 것이 바람직하다.

- 용어들은 내용의 정확도를 위해 최대한 간단해야 한다.
- 왜 'method' 대신 'modality'를 사용하며 'used' 대신 'utilized'을 사용하는가?
- 환자들은 'symptomatologies'가 아닌 'symptoms'가 있는 것이고, 조직검사는 'performed' 되는 것이 아니라 'taken'되어야 한다.
- 'A reduction/change in x was observed/found'는 'There was a reduction/change in x…'로 바뀌어야 한다.
- 'A Medline search was performed'는 'Medline was searched'로 바뀌어야 한다.
- 문장을 숫자로 시작하지 마라; 문장의 구조를 조정하거나 '24 patients were assessed' 와 같은 문장을 'In all, 24 patients were assessed'와 같이 바꾸어 써야 한다.
- 붙임표를 사용하여 복합 수식어의 단어를 연결하고, 수식어와 수식되는 단어를 분명 하게 하라. 예를 들어서, 'the patient had a small-bowel tumour'(환자는 소장에 종 양이 있었다)에서 붙임표가 없이는 환자가 장에 small tumour(작은 종양)이 있었는지 small bowel(소장)에 종양이 있었는지 명확하지 않을 것이다.

서술의 일관성

- 예를 들어서, 논문에서 subjects, patients, participants, sample, group은 모두 교체 해서 사용될 수 있는 단어들이다. 서술의 한 유형을 선택하고 논문 내내 일관성 있게 사용한다. 같은 단어가 다른 곳에서 다르게 표현된다면 반드시 혼동을 불러일으킬 것 이다.
- 임상 논문에서 환자들을 질병에 따라 분류하지 마라; 따라서 'prostate cancer patient' (전립선암 환자)라고 하기보다는 'patient with prostate cancer'(전립선암이 있는 환 자)라고 써야 한다.
- 'Parameter'(매개변수)와 'variable'(변수)는 종종 교체될 수 있는 것처럼 사용되지만 그 렇지 않다. 논문에서 '변수'는 측정할 수 있는 무언가를 뜻하는 것이다; '매개변수는'는 변수의 질을 측정하는 특정한 수치를 뜻한다.
- 어떤 논문은 '우울감'과 같은 카테고리의 변수로 수치를 매긴다. 특정한 의미를 나타 내는 단어는 항상 인용 부호가 사용되어야 한다; 따라서 '그룹 A가 그룹B 보다 우울 감이 더 높았다'는 '그룹 A에 비하여 그룹 B의 '우울감' 수치가 더 높았다'라고 표현되 어야 한다.
- 동사의 시제는 일관성 있게 사용한다.

준엄성과 정확성

- 일반 명사보다는 구체적인 용어를 사용한다. 예를 들어서 '동물'이 아닌 '토끼', '수치'

가 아닌 '농도', '대상'이 아닌 '남아'와 같이 말이다.
- 'Significant'(유의한)이라는 단어는 통계적인 의미에서만 사용하며 P-값과 함께 사용되어야 한다; 사용된 연구방법과 대조집단을 명확하게 서술해야 한다. 일반적으로 통계적인 의미가 아니라면 'significant'(유의한)이라는 단어보다는 'substantial'(상당한)이나 'marked'(뚜렷한)이라는 단어를 사용한다.
- 'Increased'(증가한)이나 'decreased'(감소한)이라는 단어는 한 집단 내에서 연속변수로 측정한 변인이 변화할 때 사용하는 것이 바람직하고 다른 그룹과 비교할 때에는 'higher'(더 높은)과 'lower'(더 낮은)와 같은 단어를 사용하는 것이 더 좋다.
- 'Prostate-specific antigen (PSA) was higher …'(전립선 특이항원은 더 높았고 …)는 옳지 않고 'Serum PSA concentrations wore higher'(혈청 PSA 수치는 더 높았고 …)와 같이 수정해야 한다. 'Level'이라는 단어는 여러 의미가 있기 때문에 남용하지 않기 위해 주의한다—예를 들어서 '농도'(생화학인 경우)나 '발현 수준'(mRNA 측량의 경우)이나 '함량'(조직 측량의 경우)과 같은 구체적인 용어를 사용한다.
- 평균, 평균의 표준오차, 표준편차, 범위, 그리고 사분위수 범위 같은 관련 데이터는 한 군데 모아두라. 예를 들어서, 특정한 환자그룹의 나이 데이터는 '환자의 평균나이(표준편차, 범위)는 61.4 (9.8, 43-80)살이었다'라고 써야 한다.
- 표본이 20보다 적은 경우 통계적으로 가치가 없고 결과를 왜곡할 수 있기 때문에 비율로 표기하지 않아야 한다. 가장 좋은 방법은 n/N (x%)와 같이 N값과 비율을 내는 것이다.
- 표와 그림을 포함한 논문상에 표본수를 일관되게 적고 있는지 확인하고 모든 비율이 정확하게 표시되어 있는지 확인한다.
- P-값의 소수점은 3자리보다 많으면 안된다; 0.001보다 적은 모든 P-값은 간단하게 P < 0.001이라고 표시되어야 한다.
- 데이터 수치는 일반적으로 두 개의 유효숫자로 잘려야 한다; 예를 들어서 0.0357221이 0.036으로 반올림해야 한다.
- 글에서 표와 그림을 인용하였는지 확인하고 인용한 순서대로 번호를 매겼는지 확인한다.

단위
- 물건의 숫자를 표시하는 경우 9까지는 단어로 쓰며, 10이상의 경우 숫자로 쓴다. 예를 들어서, 다섯 명의 환자들, 12개의 사례연구와 같이 쓰인다. 모든 수량은 (단위를 포함해) 숫자로 쓰이며 6년 2개월과 같이 쓰인다.
- 모든 데이터에는 항상 단위가 포함되어야 한다. 예를 들어서, '…BMI가 32'는 'BMI가 32kg/m^2'로 쓰여져야 한다.

- 일반적으로 수량은 국제단위(SI unit)로 표시되어야 한다. 하지만 많은 의학 변수에서는 국제단위가 아닌 단위도 허용되며 혈압은 mmHg, 방광압은 cmH_2O와 같이 표기한다. 원리는 간단하다; 대상인 독자들이 가장 알아보기 쉬운 단위를 사용한다.

간략한 표현

- 표 19.2에 예로 주어진 상용문구는 많은 경우 한 단어로 단축하여 장황함을 줄이고 가독성을 높일 수 있다.

표 19.2 축약할 수 있는 상용문구

상용문구	추천하는 대체 가능한 문구
Kept in mind	Considered
The majority of	Most
A number of	Several
A variety of	Various
In line with	Comparable, similar, conform
With regards to	Concerning, about, for
Low cost	Inexpensive
Matter of debate	Contentious
With the exception of	Except for
Make up for	Compensate
Of note	Notably
In order to	To
Not the same	Different
Small number, not many	Few
In spite of	Despite
Due to	From
Not often	Rarely
It is possible that	May, might
Has the ability to	Can
On the occasion of	When
Despite the fact that	Although
Due to the fact that	Because

- 약어(단어나 문구의 축약형)와 머리글자(문구의 첫 글자를 따낸 단어)를 사용하는 것이 유용할 수 있으며, 특히 약어가 완전한 형태보다 더욱 잘 알려진 경우 더욱 유용하다. 논문에서 처음 언급될 때에는 (너무 당연한 것들도) 괄호 안에 정의되어야 하고, 논문에 지속해서 쓴다면 논문 끝에 따로 정리하면 좋다. 독자가 약어를 알 것이라고 추정하면 안되며 단어의 의미를 찾아보게 만드는 일도 없어야 한다.
- 하지만 약어의 사용은 최소화해야 하며 논문에 두세 번 이상 적지 않는다면 (vascular endothelial growth factor ; VEGFR와 같은 긴 문구를 대신하지 않는 한) 지나친 약어의 남발은 가독성을 떨어뜨리게 된다.
- 한 글자 약어(예를 들어서 testosterone을 T로 축약하는것)는 흔히 바람직하지 않으며 잘못 해석될 수도 있다; 이러한 경우 단어를 축약하지 않고 쓰는 것이 더 낫다.
- 글과 표, 그리고 그림 사이에 데이터를 반복하는 것을 피한다.
- 표는 여러 열과 행이 있어야 한다; 그렇지 못할 경우 데이터를 글에 넣거나 글머리 기호를 사용하여 목록을 만든다.

다른 의견

최종 원고 작업을 마친 후 되도록 해당 연구를 잘 모르는 사람에게 읽어보라고 권하는 것이 현명하다. 많은 논문에서 정의되지 않고 잘 알려지지 않은 약어를 찾을 수 있거나 방법에서 지시/서술의 명백성이 부족한 경우를 볼 수 있다. 이것은 저자들의 부주의함 때문이 아니라 그들의 연구에 너무 익숙해서 일어난 일이다.

스타일의 중요성

데이터를 제시하는 것은 데이터를 모으고 분석하는 것만큼, 혹은 그 이상으로 중요하다. 잘 쓰인 논문은 심사위원을 거쳐서 수정, 발행하는 과정이 빠를 것이고, 당신의 데이터와 말하고자 하는 것을 가능한 많은 독자에게 전달할 수 있을 것이다. 특히 오늘과 같은 '컴퓨터 시대'에 말이다. 중요하게 기억해야 하는 스타일의 요점들은 다음과 같다.

따라서 학술지의 스타일 지침을 따르고, 논문을 명백하고 일관성 있고 간결하게 유지하기를 노력하면 당신과 모든 과정에 연루된 사람들은 모두 … 행복할 것이다! :)

- 간단한 언어를 사용하라.
- 간결하라.

참고 도서 목록

1. International Bureau of Weights and Measures. The International System of Units (SI), 8th edn. 2006. Available at:http:// www.bipm.org/ utils/ common/ pdf/ si_brochure_8_en.pdf (accessed 25 July 2012).

2. Baron DN, McKenzie Clarke H. Units, symbols, and abbreviations:a guide for authors and editors in medicine and related sciences, 6th edn. London:RSM Books, 2008.

3. Iles RL. Guidebook to better medical writing, revised edn. Kansas, USA:Iles Publications, 2003.

4. Schwager E. Medical English usage and abusage. Arizona:Greenwood Press, 1991.

5. Truss L. Eats, shoots & leaves. The zero tolerance approach to punctuation. London:Profile Books Ltd, 2003.

6. Cambridge University Press. Cambridge idioms dictionary, 2nd edn. Cambridge, UK:Cambridge University Press, 2006.

7. Turk C, Kirkman J. Effective writing. Improving scientific, technical and business communication, 2nd edn. London:Taylor & Francis, 1988.

8. Bryson B. Troublesome words, 3rd edn. London:Penguin, 2002.

9. Gustavii B. How to write and illustrate a scientific paper. Cambridge:Cambridge University Press, 2003.

10. Hopkins WG. Guidelines on Style for Scientific Writing. 1999. Available at:http:// www. sportsci.org/ jour/ 9901/ wghstyle.html (accessed 25 July 2012).

11. Williams JM. Style:toward clarity and grace (Chicago guides to writing, editing, and publishing). Chicago, IL:University of Chicago Press, 1995.

12. Zeiger M. Essentials of writing biomedical research papers, 2nd edn. New York:McGraw-Hill, Health Professions Division, 1999.

13. Day RA, Gastel B. How to write and publish a scientific paper, 6th edn. Westport, CT:Greenwood Press, 2006.

제20장 출판의 윤리

크리스 그라프[1] / 엘리싸 윌슨[2]

[1]보건과학, 윌리, 리치몬드, 호주 / [2]생명과학, 윌리, 리치몬드, 호주

서론

이 장에는 당신이 논문을 쓸 때 고려해야 할 '윤리 사상'을 소개하고자 쓴 장이다. 우리는 논문을 쓰는 과정을 검토한다. 어떻게 편견을 줄여야 하는지, 어떻게 완벽하고 명백한 원고를 권장해야 하는지, 또한 알맞은 책임과 의무는 어떻게 확인할 것인지 논한다. 우리는 논문의 모든 과정이 시작되는 연구비와 기금 신청 연구계획서(그림 20.1)를 시작으로 연구가 점차 진행되어 논문이 완성되기까지의 과정을 본다. 장

그림 20.1 연구와 논문출판 과정중 중앙에 있는 윤리

내에 간간이 저자들의 견해를 발견할 수도 있지만 이 장에는 견해를 담은 글을 쓰고
자 의도한 것이 아니며 도덕적 원리에 대하여 논하고자 쓴 글도 아니다(그러한 글은
http://wwwjp.blackwellpublishing.com/bw/publicationethics/#_T0c149460095 이 웹
사이트를 포함한 다른 많은 곳에서 찾아볼 수 있다).

오히려 이 장에는 당신이 연구를 하거나 논문을 쓸때 고려해야 할 출판윤리에 대
해서 실질적인 지침을 주기 위해 쓰였다. 각 요소를 다뤄야 할 순서는 다를수 있지만
(예를 들어서 연구를 위한 자금을 구하기 전에 연구를 계획할 수도 있다), 우리는 위
와 같은 일종의 스케줄을 따르려고 노력했다.

학술지와 연구자들이 쉽게 저지르는 실수(윤리적 문제)를 Rertraction Watch 웹사
이트(http://retractionwatch.wordpress.com/)에서 볼 수 있다. Retraction Watch 웹사
이트는 그간 철회되었던 논문들을 모아놓은 곳이다. 이것은 Retraction Watch에 보
고된 도덕적 요소들이 연구윤리 및 출판윤리를 밀접히 이어준다는 의미한다. 이러
한 문제들은 보통 연구 과정 가장 초반에 시작해서 연구 진행 내내 영향을 준다.

재정지원을 받는 것

연구를 수행하기 위해(혹은 논문을 쓰기 위해) 연구비나 다른 형태의 재정지원을
받았다면 논문에 자금출처를 반드시 명시하여야 한다.

어떤 재정 후원자들은 연구비 지원을 해주면서 연구원에게 체계적인 보고서를 요
구할 것이다[1]. 이렇게 함으로써 심사기관은 당신이 제출한 연구계획서가 얼마나
참신하고 중요한 것인지를 평가할 수 있게되며, 또한 이러한 점은 연구윤리와 관련
하여 임생명과학 연구에서 매우 중요하게 여겨진다. 당신의 재정 후원자가 이러한
체계적인 보고서를 요구한다면 이를 추후 연구에 잘 활용하여 논문 준비과정에 사
용할 수 있을 것이다.

당신의 연구

당신은 소속기관 내에 윤리위원회로부터 승인을 받기 위하여 연구계획서를 제출
해야 되는 일이 있었을 것이다. 이것은 사람이나 동물이 관여하는 임상연구의 윤리
적 측면을 심의하기 위해서다. 본인의 연구에 이러한 사항들을 논문에 간략하게 서
술하여야 한다.

연구를 시작하기에 앞서 연구계획을 묘사(또한, 기록)하고 데이터 분석 방안을 확
실히 하는 습관을 들여 놓는 것이 좋다. 이러한 습관들은 연구결과에 편견을 (예를
들어서, 사후 비교 분석할 때나 부정적이고 결론에 이르지 못한 결과를 충분히 보도
하지 못 했을 때 나타나는 편견) 줄이기 위함이다. 우리는 당신이 이러한 습관들을
갖기를 권유한다.

연구 계획 중 논문의 저자로 누가 들어갈지 정할 수 있을 것이다. 저자에 대해서는 다음에 다시 언급된다. 하지만 연구를 계획할 때 필요한 학문적 지식과 조언을 주었던 사람들이 대부분 (혹은 전체 모두) 공동저자로 들어가거나 감사의 글에 언급되어야 한다는 것은 분명하다. 연구 시작 전에 미리 누가 저자가 될지에 대하여 함께 협력하는 연구자들과 의논하고 합의하는 것이 추후 혼란이나 분란을 막을 수 있을 것이다[2].

데이터 수집, 데이터 분석, 그리고 결과 얻기

연구를 수행하는 중에 연구계획이 바뀐다면 어떻게 바뀌었는지 설명해야 한다(이상적으로 계획은 바뀌지 않겠지만 바뀔 때에 명확히 기새해야 한다). 데이터를 어떻게 분석했는지, 초기 계획과 일치하거나 불일치하는지에 대해서도 기술해야 한다(다시 말하지만, 일치해야 한다). 기존의 연구계획에서 명시하지 않은 분석을 했다면 그것에 따른 세부사항과 분석의 잇따른 결과를 분명하게 기술해야 한다. 이러한 추가적인 설명은 에디터와 독자에게 논문에 편견을 가져다줄 수 있는 사항들을 평가하도록 도와줄 것이다.

논문 쓰기

저자

저작의 보상, 책임, 의무(7장)는 중요하므로 누가 저자란에 포함될지 알맞게 골라야 한다. 이것에는 다음과 같은 몇 가지 간단한 원칙이 있다.

- 저자들은 직접 연구를 시행한 사람이어야 한다.
- 저자란의 자리를 선물로 주거나 받으면 안 된다.
- 당신이 정한 저자기준을 충족시킨 자들은 저자로 포함해야 한다.
- 중요한 기여를 했지만 저자기준을 충족시키지 못한 자들은 반드시 감사를 표해야 한다.

누구를 저자로 포함할지에 대한 규율은 연구원마다 다르다. 생물의학에서는 모든 연구원과 학술지가 동의하는 기준이 있으므로 어느 정도의 유연성이 있다. 이것은 바로 1978년에 (밴쿠버에서 시작되었기 때문에 이 기준은 밴쿠버라고 불리우기도 한다) International Committee of Medical Journal Editors (ICMJE)로 부터 정해진 정의이며 2009년에는 그들의 규정에 포함되었다[3].

아래는 이 정의에서 따온 짧은 소절이며, 이들은 당신이 이 정의를 사용하여 저자란에 누구를 포함할지 정하라고 권장한다. ICMJE에서 쓴 단체 저자, 보증인, 사회

적 책임, 감사 표시에 대한 다른 안내와 조언들도 읽어볼 가치가 있다[4]:

> 저자의 권한은 1)연구 구상과 계획, 결과 도출, 또는 데이터 분석과 해석에 실
> 질적인 기여; 2)논문 초안 작업, 혹은 학문적 내용을 중요하게 평론; 3)출판되
> 기 전의 최종 승인에 근거해야 한다. 저자들은 1, 2, 3의 조건들을 충족시킨
> 사람이어야 한다[4].
>
> 저자로 지명된 사람들은 모두 저자의 자격이 주어져야 하며, 자격이 주어진
> 사람들은 모두 저자란에 포함되어야 한다[4].

보고의 기준

연구보고를 완전하고 정확하게 하려면 기존에 정해진 진행과정을 따라야 한다. EQUATOR 네트워크는 의생명과학연구의 보고 기준에 대한 자료들을 수집해서 정리해 놓았다(표 20.1)[5]. 이 보고 기준을 사용하면 당신의 연구보고에 필요한 모든 정보가 완전하고 명백하게 쓰였는지 확인할 수 있다. 또한 에디터, 논문 심사위원, 그리고 독자가 이해하기 쉬운 논문을 쓰게끔 도와준다. 논문심사의 과정을 수월하게 해주고 논문 승인과 출판이 빠르게 진행될 가능성을 높여줄 것이다.

표 20.1 EQUATOR가 정리한 보고의 종류

- 인체유래검체 보고
- 진단 정확도 연구
- 경제성 평가
- 실험적 연구
- 혼합 연구
- 관찰 연구
- 질적 연구
- 질 향상 연구
- 신뢰성과 합의성 연구
- 데이터 보고
- 연구 보고서의 부분들
- 구체적인 조건 혹은 과정
- 통계적 방법과 분석
- 체계적인 보고와 메타 분석

한 연구에서 몇 개의 논문을 내야하나?

연구의 결과는 발행할 수 있는 가장 작은 단위로 내는 것이 아니라 유용한 분량의 결과를 발행해야 한다. 논문들이 각각 다른 스토리가 있다면 하나 이상의 논문을 내는 것도 괜찮다. 잇따라 나오는 논문에는 초기에 나온 주 논문을 언급하고 참조해야 하며, 다수 논문의 관계와 각 논문이 제시하는 결과도 설명해야 한다.

중복 출판은 독자들에게 혼동을 줄 수 있고 메타 분석과 치료 가이드라인을 왜곡할 수도 있으며, 저작권 침해의 법적 문제를 불러일으킬 수도 있다. 다른 논문에 이미 출판되었다고 명백히 밝히지 않는, 같은 연구결과는 하나 이상의 논문에 발행하지 말아야 한다.

데이터 수집과 분석 이후 여러 아이디어는 조심해서 다루어야 하며(비권장) 이와 같은 다른 방식의 분석을 새로운 논문에 내고자 할 경우 에디터와 독자들을 위해 오류 발생 가능성에 대해서 명백히 기술해야 한다.

연구를 학회에서 발표한 후에도 학술지에 발행할 수 있는가?

학회 회의록에 초록만 출판되었다면 걱정하지 않아도 된다. 하지만 논문 전체가 출판된 경우 학술지에 제출한 원고가 학회 회의록에 발행된 논문과 하면 안된다. 차이의 정도는 학술지마다 다르므로 학술지의 에디터와 확인해야 하며, 이전 출판물은 언제나 완벽히 밝혀야 한다. 자신의 웹사이트나 블로그, 또는 기관의 디지털 저장소에 결과를 올리는것은 괜찮다. 하지만 학술지마다 규정이 다르기 때문에 각 학술지의 저작권법을 따라야 할 것이다.

참고문헌

실질적으로 완벽하게 갖추어진 참고문헌을 제시해야 하며, 특히 본인의 연구와 관련된 논문에 집중하여 독자들이 논문의 맥락을 이해하는 데 도움을 주어야 한다. 저자들이 자신의 논문에 특정한 논문을 인용하는 데에는 다양한 이유가 있지만 모두 도덕적이고 합리적이라고 볼수는 없다. 이것을 흥미롭게 다룬 글이 World Association of Medical Editors 토론 기록에 (http://www.wame.org/wame-listserve-discussions/authors-quoting-themselves-extensively-in-the-references) 보관되어 있다. 이 글의 참고문헌이 아주 흥미롭다.

연구비 신청을 위해서 체계적 문헌고찰을 수행했더라도, 이 문헌들을 모두 다 논문에 인용하기에는 너무 양이 많다. 그럼에도 불구하고 당신이 작성한 체계적 문헌고찰은 유용한 정보 출처가 될 것이다. 이 보고서는 별개의 논문으로 여겨야 하며 연구결과가 나오기 전과 원고를 작업할 때 논문의 참고문헌을 작성할 때에도 도움이 될 수 있다.

표절 방지

논문에 언급된 모든 간행물은 다른 사람의 저작물이던 본인 것이던 출처를 밝혀야 한다. 본인의 출판물에서 따온 구절을 참조하는 것이 불필요하게 보일 수도 있지만, 논문의 저작권은 출판물의 주인한테 있다는 것을 기억하고 항상 출처를 밝히는 것이 중요하다. 대부분의 출판사는 CrossCheck이라는 프로그램을 사용해 중복 수준을 확인할 것이다('Surviving Peer Review'를 보라). 재사용되는 모든 소재 또한 출처를 밝히는 것을 권한다.

재정지원 보고

논문을 재정적으로 지원한 연구비나 다른 지원금의 출처, 혹은 지원금의 부재를 기술해야 한다.

이해관계의 공개

이해관계의 이해관계의 공개, 특히 재정적 이해관계는 언제나 중요한 주제이다. 연구와 관련된 재정적 갈등뿐만 아니라 정치적이나 개인적인 갈등 요인은 모두 기재되어야 한다. 이러한 이해의 충돌은 연구 재정지원 보고와 개별적으로 다뤄져야 하며 논문에도 개별적으로 기재되어야 한다고 생각한다. 하지만 학술지마다 다루는 방법이 다를 것이며, 당신이 쓴 연구비의 출처와 잠재적 갈등요인을 모두 기재한다면 윤리적으로 행동한 것이다.

감사의 글

연구에 기여를 한 사람들에게 고맙다는 인사를 위해 짧은 감사의 글을 써야 한다 (표 20.2). 감사의 표시를 하기 전에 본인에게 먼저 허락을 받는 것이 중요하며, 연구를 계획할 때 저작에 대해 서도 고려해야 한다.

그림과 데이터

그림은 수정하지 않은 원본 이미지를 제출하고 학술지에 출판하고자 준비했던 그림(웨스턴블롯필름, 젤)과 함께 제출해야 한다. 또한 이러한 원본 이미지와 숫자 데이터는 접속 가능한 데이터베이스에 넣어놔야 한다.

학술지 고르기

논문은 각 학술지마다 한 번에 하나씩 제출해야 하며 결정을 기다린 후에 두 번째 학술지에 제출해야 한다. 위에서 언급하였듯이 같은 결과와 분석은 한 번 이상 출판하면 안된다[9].

표 20.2 저작 서술/감사의글의 예

A, B, 와 C 박사는 연구를 계획하고 환자 모집, 데이터 수집, 그리고 데이터 분석을 포함한 연구를 수행했다. A 박사는 B와 C 박사로부터 학문적인 조언을 받으며 원고 작업을 했다. 모든 저자가 최종원고를 승인했다. (기관명을 입력)은 연구에 필요한 연구비를 지원했으며, A, B, C 박사가 데이터 분석을 할 때 필요한 통계적 지원과 편집할때 필요한 재정적 지원을 했다. A, B, C 박사 모두 실험의 모든 데이터를 볼수 있는 권한이 있었다. 원고를 준비할 때 편집 측면에서 도움을 주었던 D 박사에게 감사를 표한다.

Graf C, Wager E, Bowman A *et al.*에서 John Wiley와 Sons Ltd로 부터 허락을 받고 옮김 [7].

논문심사에서 살아남기

학술지에 논문을 제출하면 에디터들과 논문 심사위원들이 학술지마다 특정한 기준을 (보통 방법의 타당성, 결과의 참신함, 독자들과의 관련성, 영향력 지수) 갖고 논문의 질에 대해 평가할 것이다.

뿐만 아니라 심사 위원들은 논문의 윤리적 측면과 이것을 어떻게 원고에 기재 하였는지 검토할 것이다.

어떤 학술지들은 CrossCheck (iThenticate)과 같은 컴퓨터 표절감지 시스템을 이용하여 표절을 방지하고 중복 출판을 막는다. 이 시스템은 학술지와 인터넷에 제출된 원고와 이미 출판된 간행물을 비교하며 비슷한 본문을 탐지하여 표절이 의심되는 부분을 발견한다. 그 후 학술지의 에디터들이 컴퓨터 알고리즘이 준 결과를 분석하고 정확한 문제점을 찾아낸다. 출판윤리 위원회(Committee on Publication Ethics; COPE)는 이러한 조사과정을 그려낸 순서도를 출판했다[10].

논문이 첫 학술지에서 리뷰어의 검토를 통과하지 못하면 이것을 언급하지 않고 새로운 학술지에 제출하는 것이 도덕적인가? 이전의 심사위원이 논문에서 정확한 결점을 발견했다면 이것을 언급하면서 제출하는 것이 도덕적일 수도 있다. 다시 말하자면 이것은 논문의 한계를 인정하는 것과 같다.

하지만 리뷰어가 발견한 결점이 중요하지 않을 수도 있고 불가능한 추가 실험을 요구하거나 혹은 에디터의 결정과 리뷰어의 코멘트에 반대할 수도 있다. 그리고 학술지의 결정에 대해서 이의를 제기한 것이 거부된 적도 있었을 것이다. 하지만 지난일들을 돌이켜 보면 논문을 다른 학술지에 제출하더라도 이전의 학술지에서와 같은 리뷰어를 만날 가능성이 높다. 특히 특정 분야의 연구를 한다면 더욱 그러하다. 따라서 다음 학술지에 원고를 제출하기 전에 코멘트를 언급하는 것이 가장 실용·도덕적이라고 할 수 있다.

언론을 다루는 것과 엠바고

어떤 학술지들은 곧 출판될 논문에 대하여 따라야 할 엠바고 정책이 있다. 이 정책은 논문을 신문에서의 짤막한 정보가 아닌 정확하고 상호 검토가 된 연구를 대중들에게 선보이기 위함이다. 하지만 엠바고는 당신의 연구결과를 개인적인 웹사이트나 블로그에 올리는 것을 허용할 수도 있다[11].

논문 발행

축하한다. 당신의 논문은 우수한 학술지에 출판되었다. 이제 당신의 새로운 논문을 다음 연구를 위한 연구계획서 작성 시 성과목록에 포함시킬 수 있을 것이다. 전세계에서 당신의 논문을 인용하는 것은 물론 당신의 논문을 다룬 사설도 나올 수 있다.

여기에서 그치지 않는다. 타당한 문제나 코멘트를 제시하는 독자들을 위해 편집장에게 편지를 쓰거나 학술지 웹사이트에 '코멘트'란을 이용해 대응해야 한다. 또한, 본인이나 독자들이 발견한 오류를 수정할 준비가 되어있어야 하며 이것은 학술지와 의논하여 정정본을 내거나 오자를 내는 것을 의미한다.

아주 심각한 오류가 발견될 시 논문은 철회된다. 보통 이러한 오류는 논문상의 중대한 결함으로 인해 결과의 신뢰성을 잃게 하는 오류를 의미한다. 때때로 저자들간에 다루기 힘든 논쟁 때문에 기사가 나기도 한다. 가장 심각한 것은 논문이 연구의 부정행위(조작, 위조, 표절)로 이슈되는 것이다.

결론

논문을 쓰는것은 모든 것이 하나가 되는 작업을 의미한다. 당신은 본인 연구의 결과를 알고 있으며, 학회에서 연구를 발표할 때 사람들이 제시한 제안도 받아들였다. 당신이 얻은 결과를 당신의 동료들, 경쟁자들, 그리고 연구비 후원자(그리고 모두에게)에게 보여줄 준비가 되었다. 논문은 당신의 연구에 중요한 수확이며 다음 연구비를 지원하거나 새로운 직장을 얻을 때 도움이 될 것이다.

좋은 학술지에 논문을 내기 위해 넘어야 할 산은 많다.
논문을 윤리적으로 기재하는 것 또한 마찬가지다.
성공과 행운을 빈다.

맺음말

크리스 그라프와 엘리사 윌슨은 John Wiley & Sons 소속이며 회사의 성공가도 덕분에 큰 혜택을 받는다. 크리스는 호주와 뉴질랜드의 Societies and Royal Colleges와 International Journal of Clinical Practice, 그리고 global Wiley open access journals in health sciences와 같은 임상연구 학술지에 여러 논문을 냈으며 COPE(영국에 등록된 자선단체)의 회계 담당자이고, Wiley-Blackwell 출판사의 윤리 프로그램을 담당하고 있다. 엘리사는 호주의 생명과학 학술지에 여러 논문을 냈으며 Wiley-Blackwell 출판사의 윤리 프로그램에서 일하고 있다.

참고문헌

1. Wikipedia:The Free Encyclopedia [Internet]. Systematic review. Available at:http:// en.wikipedia.org/ wiki/ Systematic_review (accessed 25 July 2012).

2. Albert T, Wager E. How to handle authorship disputes :a guide for new researchers. In:White C, ed. The COPE Report 2003 [Internet], 2004. pp. 32–4. Available at:http:// publicationethics.org/ static/ 2003/ 2003pdfcomplete.pdf (accessed 25 July 2012).

3. International Committee of Medical Journal Editors [Internet]. Uniform Requirements for Manuscripts Submitted to Biomedical Journals :Statement of Purpose:About the Uniform Requirements. 2009. Available at:http:// www.icmje.org/ sop_1about.html (accessed 25 July 2012).

4. International Committee of Medical Journal Editors [Internet]. Uniform Requirements for Manuscripts Submitted to Biomedical Journals:Ethical Considerations in the Conduct and Reporting of Research:Authorship and Contributorship. 2009. Available at:http:// www. icmje.org/ ethical_1author.html (accessed 25 July 2012).

5. EQUATOR Network [Internet]. Oxford:The EQUATOR Network. 2007. Available at:http:// www.equator-network.org/ (accessed 25 July 2012).　(2012-10-19).

6. Rose S . What's love got to do with it? Scholarly citation practices as courtship rituals. Lang Learn Discip 1996;1:34–48.

7. Graf C, Wager E, Bowman A, Fiack S, Scott-Lichter D, Robinson A. Best practice guidelines on publication ethics:a publisher's perspective. Int J Clin Pract 2007;61(s152):1–26.

8. Graf C, Vaux D. Editorial. Cancer Med 2012; in press.

9. Wager E. Why you should not submit your work to more than one journal at a time. Afr J Tradit Complement Altern Med 2010;7:160–1.

10. Committee on Publication Ethics [Internet]. Flowcharts. Available at:http:// publicationethics.org/ resources/ flowcharts (accessed 25 July 2012).

11. International Committee of Medical Journal Editors [Internet]. Uniform Requirements for Manuscripts Submitted to Biomedical Journals:Publishing and Editorial Issues Related to Publication in Medical Journals:Medical Journals and the General Media. 2009. Available at:http:// www.icmje.org/ publishing_9media.html (accessed 25 July 2012). (2012-10-19).